闇の権力 腐蝕の構造

一ノ宮美成 Ichinomiya Yoshinari
＋グループ・K21

さくら舎

【目次】闇の権力 腐蝕の構造

第一章 巨大商都の深い闇

第二章　暴露された原発マネー

第三章　古都京都の闇社会

裏千家〝裏〟にあった闇利権

京都駅北側跡地の再開発の闇

京都市が推進する〝まちこわし〟

風致地区にも及ぶ〝京都まちこわし〟

第四章　金の亡者たちの自滅

カジノ汚職に群がった面々

第五章　維新のカネと陰謀

暴かれる〝維新の正体〟

コロナ禍で見出された〝維新10年〟の実像

大阪都構想「虚像」の実状

都構想への維新の陰謀と否決確定

闇の権力　腐蝕の構造

第一章　巨大商都の深い闇

「半グレ」渡世の横行

攻防激しい大阪府警VS半グレ

暴力団と一般人の中間を意味する造語で、「半分グレている」などが命名の由来とされている半グレ集団に対し、大阪府警の摘発が相次いでいる。

２０１９年、11月までに延べ約３８０人を検挙、複数のグループのリーダーはすべて逮捕された。大阪府警は引き続き残党を摘発する方針だ。府警が摘発を強化しているのはなぜか。半グレ集団に詳しい大阪社会部記者はこう解説する。

「半グレはここ数年前から摘発が行われていますが、府警が本腰を入れたのは（２０１９年）7月27日に放送されたＮＨＫスペシャル『半グレ　反社会的勢力の実像』の影響が大きいと思います」

夕刊紙『日刊ゲンダイ』は〈半グレ〝反社会的勢力〟を持ち上げたＮＨＫの不見識〉という見出しで、警察庁長官が大激怒しているとの記事を掲載した。

「ＮＨＫとしては潜入取材で、半グレの実態に肉薄した渾身《こんしん》のレポートとしてお茶の間に届け

半グレとの対決を明らかにした大阪府警

たわけです。しかし、見せ方が警察サイドの神経を逆撫《さかな》でするものだった。なにしろ、半グレ集団のリーダー2人が肩で風切って、夜のミナミの街を闊歩《かっぽ》、顔をさらして贅沢三昧《ぜいたくざんまい》の暮らしをしていることをあからさまに放映したからですよ。取り締まる側の警察としては『半グレにメンツを潰《つぶ》された』『舐《な》められている』と怒りを買ったことは間違いありません。

案の定、放映後の8月26日には、2人のうちの1人、籠池勇介（32）を大阪府警捜査4課が恐喝未遂容疑で逮捕した。同番組では〝ミナミのテポドン・吉満勇介〟の名前で登場していた。また、籠池は「（SNSの）フォロワー数は1万3000人」「（番組に登場したもう1人の半グレ集団のリーダーと共に）半グレがシノギを削る大阪で、2人はミナミの顔として知れ渡っている」などと紹介された。

もともと、籠池の表の稼業はバーやホルモン店を経営する実業家だが、その裏で半グレ集団『O7』（アウトセブン）のナンバー2に君臨する人物だった。『O7』の拠点は大阪・ミナミ。暴

籠池勇介

相良正幸

力団の庇護《ひご》を受けてミカジメ料の徴収を行い、上納金を支払っており、大阪府警が「準暴力団」と認定した半グレ集団である。

番組に登場したもう1人の半グレ集団のリーダーは、10月25日に強制性交容疑で大阪府警捜査4課に逮捕された相良正幸（35）。アマチュア格闘技集団『強者』（解散）の有力メンバーで、拳月《けんむん》のリングネームでK－1などの格闘技大会に出場した経験を持つ、半グレ集団『拳月グループ』のリーダーだ。相良は、2018年に詐欺容疑で逮捕・起訴され、大阪地裁で実刑判決を受け控訴中だった。

前出の社会部記者が大阪・ミナミの半グレ集団の実態についてこう説明する。

「大阪・ミナミの半グレのルーツは、アマチュア格闘技集団『強者』です。そこから『O7』、『拳月グループ』の2つができた。『拳月グループ』は『モロッコ』『テポドン』の2つのグループを抱えており、これらの半グレ集団のメンバーは、1人で複数の集団に加入し重複している」

「5億円の利益」出した半グレの風俗斡旋

２０１８年、55人のメンバーが大阪府警に摘発された『アビス』は、10代から20代を中心に１００人以上が所属していた。ガールズバーなど飲食店を経営し、客に高額な金を請求していた。支払えない客には暴行を加えていた。『アビス』も暴力団に毎月上納金を支払っていたことから、府警は暴力団の資金源になっているとして準暴力団と認定した。

「２０１８年11月、『アビス』は解散届を府警に提出したが、看板を替えて、また犯罪行為を繰り返すとみられています」（前出・社会部記者）

半グレのシノギとして、先のＮＨＫスペシャルでは、詐欺、強盗、薬物、偽造、密輸を挙げていたほか、物品の通信販売、有名企業からリクルートした金融マンやエンジニアを使い人工知能による株式投資など、多彩な事業を展開していることを取り上げていた。

さらに、半グレの「象徴的な例」として詳しく報じたのが、京都の京大、同志社、立命館など有名大学の学生による、女子大生らの風俗斡旋《あっせん》事件だ。京都市内の繁華街などで女子大生や専門学校生に声をかけ、恋愛感情を抱かせたあと、祇園《ぎおん》の会員制バーに勧誘し、高額な飲食をさせたうえ、代金を支払えなくなった女性を大阪、京都、滋賀の風俗店に紹介していたという。

２０１９年１月、京都府警は職業安定法違反（有害業務の紹介）容疑で京都市内の大学生約20人を摘発。調べによると、２０１７年10月以降、39店舗に約２６０人の女子大生らを斡旋し、計７３００万円を得ていた。

起訴された学生9人全員が執行猶予付きの有罪判決（6月）を受けた。逮捕学生を出した同志社大学は「謝罪」を表明するとともに「厳正に対処する」とのコメントを発表したが、同事件はこれだけで収まらなかった。

7月9日、京都府警は京都の学生グループが属する大阪の半グレ集団『フューチャーグループ』を摘発。同グループは2年間に延べ4700人もの女性を風俗店などに斡旋、約5億円の利益を得ていた。

「繁華街があれば、利権が絡む。玄人《くろうと》はもちろん、素人《しろうと》も誘われれば群がる。半グレは何度摘発されても、息を吹き返すアメーバのようなもの。イタチごっこで根絶は難しい」（フリージャーナリスト）

今夜も半グレはミナミで警察の監視をすり抜けて、甘い汁を求めて群がっているということになる。

半グレが動き出した夜の街とシノギの様変わり

暴力団と一般人の中間を意味する「半グレ」と呼ばれる不良集団に対する警察の摘発が、新型コロナウイルス感染拡大による緊急事態宣言解除（5月25日）後、関西で相次いでいる。

例えば、2020年6月23日、兵庫県警は大阪の半グレグループ『89（バク）』のリーダー・藤本零（21）ら3人を強盗致傷事件で再逮捕した。藤本らは、1月7日午後7時45分頃、神戸市中央区元町通の質店『大黒屋神戸元町店』の店内で催涙スプレーを撒《ま》き、ロレックスの腕時計6点（販売価格約630万円）を奪ったうえ、女性店員にけがを負わせた疑い。

再逮捕というのも、同グループの藤本らは大阪・ミナミの高級腕時計店で経営者らに催涙スプレーをかけ、金品を奪おうとした疑いで5月25日、大阪府警に逮捕されているからだ。

半グレグループの『89』は「新しいグループです。リーダーの藤本は、大阪の半グレグループの『アビス』出身。アビスから独立して『89』を立ち上げ、各地でタタキ（強盗）をシノギにしてきた」（社会部記者）という。

報道などによると、『89』は、2019年11月から20年1月にかけて、京都、兵庫、奈良、大阪の4府県で約10件の強盗や窃盗に関与しており、被害総額は約1500万円に上るとみられている。19年12月14日未明には、メンバーの2人が大阪府寝屋川《ねやがわ》市の住宅に侵入し、金品を奪おうとして、強盗未遂と住居侵入の疑いで逮捕されている。

2020年、大阪府警は半グレ対策の専従班を発足させるなど対策強化に乗り出していた。背景にあるのは「手っ取り早い稼ぎができるということで、半グレが特殊詐欺に関与する割合が多くなっている」（前出・社会部記者）からだ。

大阪府警組織犯罪対策本部は2月7日、2019年に特殊詐欺で摘発した半グレグループは

40人と発表した。これまでの強盗や恐喝は減っているという。同発表によると、2019年の半グレ摘発人数は18年と比べ、100人多い300人余りに上る。

犯罪別の割合は、特殊詐欺が13%で最も多く、次いで逮捕監禁11%、強盗10%と続いた。18年は傷害が22%、強盗18%、恐喝12%が上位を占め、特殊詐欺は3%にとどまっていたのだから、わずか1年でシノギが様変わりしたといえる。

急増するコロナ詐欺にも関与

警察は全国10団体の半グレを「準暴力団」と認定した。うち2団体が大阪の『拳月』と『アビス』だ。前項に記した質店強盗事件を起こした『89』のリーダー・藤本零は前述したようにアビス出身。『拳月』『アビス』共、すでに解散届を出しており、グループのリーダーは逮捕され現在服役中だ。

日本でコロナ禍が拡大する前の2020年1月、すでに半グレは暴力団と共にマスクを大量に買い占め、その後、高額で売りさばいていた。在庫がなくなりそうになると、海外現地のマフィアに依頼していた等、報じられている(『フライデー』5月22日号)。

大阪では同年6月下旬、10万円の特別定額給付金をめぐって高齢者を騙《だま》すコロナ詐欺も発生しており、「捜査当局は犯人は半グレ関係ではないか」(前出・フリージャーナリスト)と見ている。

詐欺、スカウト、薬物、偽造、密輸、さらに、２０１９年１月、京都府警が摘発した女子大生ら約２６０人を風俗に斡旋した事件まで、なんでもありだ。それにしても、なぜ半グレは生まれ、あとを絶たないのか。

「背景にあるのは、暴力団が暴力団対策法や暴力団排除条例などで、年々シノギができなくなっていること。半グレは堅気なので暴力団対策法の網にかかることはない。それに最近の若者は、暴力団のような厳しい上下関係を嫌う傾向にあるから、半グレで稼いだほうがいいということになる。特定抗争指定暴力団に指定されれば、警戒区域で組員はおおむね５人以上集まると即逮捕となる。しかし、半グレは集団行動できる。その分、多方面で大がかりに動きやすい立場にあります」（前出・社会部記者）

兵庫、大阪、愛知など6府県の公安委員会は２０２０年１月、分裂抗争を繰り広げる六代目山口組と神戸山口組を特定抗争指定暴力団に指定した。これで警戒区域での組事務所の新設や立ち入りは禁止で、シノギをするにはいっそう厳しい環境に追い込まれている。

大阪の半グレ団体は現在50といわれている。非常事態宣言解除で繁華街に人が戻り始めているさなか、半グレもまた潜伏期間を経て動き出している。

巧妙化する金塊密輸事件

新たに発覚した関西空港での密輸

コロナ禍で減少していたとされる金塊密輸事件が新たに発覚した。

摘発したのは大阪府警。2020年10月7日までに約5億4800万円相当の金の延べ板約120キロを中国から関西空港に航空機で密輸しようとしたとして関税法違反(無許可輸入)などの疑いで逮捕されたのは、いずれも中国籍で通関士の楊雷容疑者(39)＝大阪府泉佐野市＝と会社役員の崔元均容疑者(36)＝東京都目黒区＝ら5人。うち4人は再逮捕。

今回の金塊密輸事件は関西空港税関支署のエックス線検査で発覚。段ボールの中からは偽の高級ブランドのカバンも見つかった。

府警によると、金や偽ブランド品は計9つの段ボール箱に入れられ、国際宅配貨物で送られていた。消費税がかからない海外で購入した金を密輸し、日本国内で転売、消費税の利ザヤ稼ぎが狙いとみられている。

そもそも、最初に同事件が発覚したのは2019年5月に遡《さかのぼ》る。税関に虚偽の申告をして、

新たな密輸の舞台となった関西空港

5億4800万円相当の金の延べ板120キロを密輸し、消費税約400万円（消費税は当時8％）を免れたり、ほかに高級ブランド『ルイ・ヴィトン』の偽のバッグなど172点を輸入しようとした。府警は2020年8～9月、偽のブランド品を販売目的で所持していたとして、商標法違反（商標権侵害）容疑で楊容疑者ら4人を逮捕していた。

巧妙化する金塊密輸手口でいえば、2019年12月3日、成田空港に金塊約8キロを密輸した東京都内の会社社長ら3人を千葉県警が再逮捕、新たに男1人を逮捕している。会社社長らは同年11月、金塊約20キロを密輸したとして、すでに逮捕されていた。

この会社社長らは、非課税の香港で地金を買い付け、台湾・台北の空港を乗り継ぎ、同地で日本に向かう運び屋に渡していた。運び屋は約60人いたとされ、肥満体形に似せるシリコーン製の変装具と身体の間に地金を隠し検査を逃れていた。

1月末には警視庁が、成田空港内で手荷物運搬に使うカートを細工して金塊479キロ、24億円分を隠し、香港から韓国経由で成田空港に密輸したとして、韓国籍のピアニストら男女6人を消費税法違反と関税法違反（無許可輸入）の疑いで逮捕している。ピアニストらはスーツケースの中にも金塊を隠し、2回にわたって密輸していた。

その手口も実に巧妙だった。成田、羽田両空港のカートを盗み、持ち帰って大きさなどを計測。カートの使用法を示すシールを日本国内の印刷店で偽造したうえ、そこにかぶせる金属製ケースも加工業者らに作らせ、磁石を使って金を隠したケースをくっつけるなどして、税関検査をすり抜けていた。ピアニストら密輸グループは、日本人を含め約30人ほどいたという。

国家資格の〝通関士〟までが関与の驚愕

4月中旬には、中部空港（愛知県常滑《とこなめ》市）で、韓国から輸入された電動工具の中に金塊約18キロ（約1億円）が隠されていることを発見、名古屋税関が押収している。金塊は工具の構造に合わせて成形されていた。

冒頭の大阪府警の摘発事件について、社会部記者が解説する。

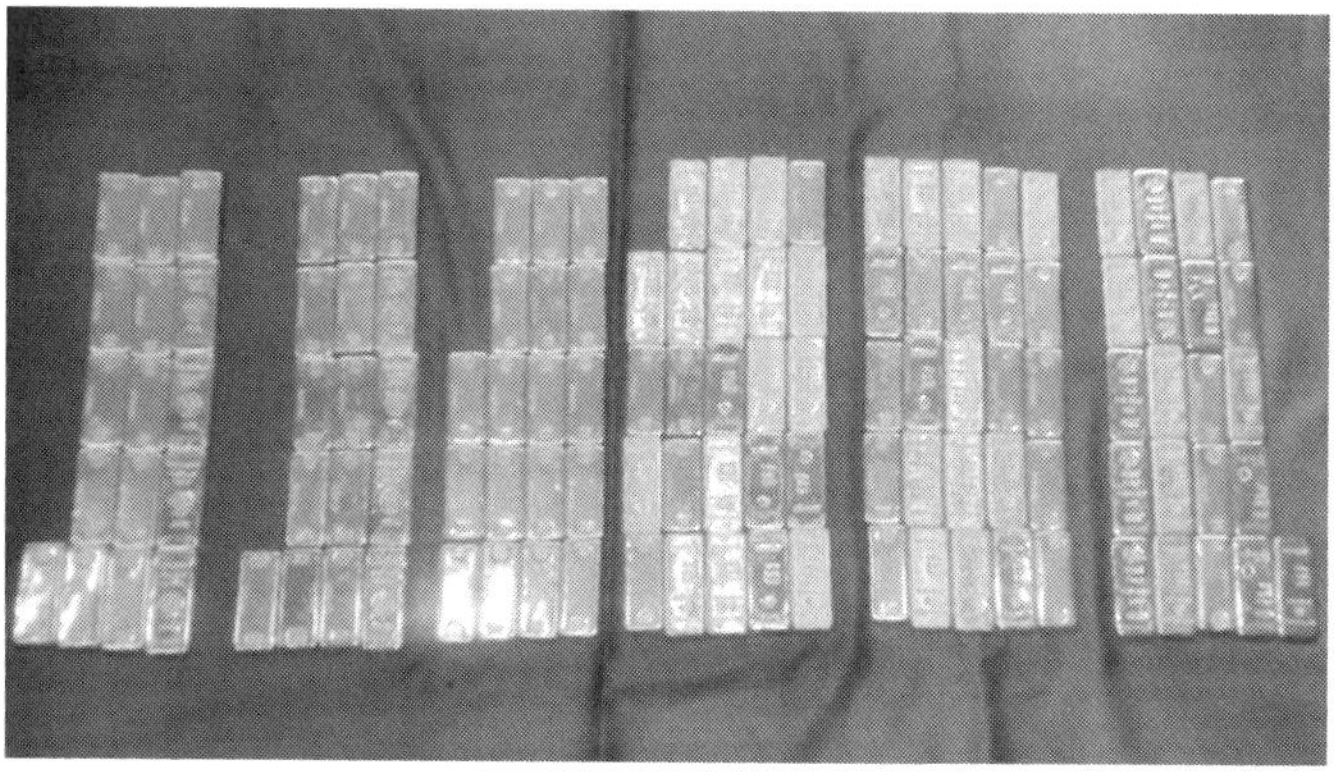

大阪府警が押収した金塊

「この事件の最大の特徴は通関士が事件に関与していたことです。通関士が輸出入の荷物の中身について税関に申告し、それでパスとなる。通関士は国家資格で、税関も信用して輸出入の検査を行っています。それが通関士もグルということになると、摘発はかなり難しくなりますね」

一般には聞き慣れない通関士は、通関業務を適正に行うために通関業者の間で設置が義務づけられている。物品の輸出入業者が通関手続きを通関業者に依頼した際、通関業者は税関に提出する書類に対し通関士の審査が必要になってくる。

通関士は貿易業界の税理士、行政書士ともいわれており、「信用力が高い」（前出・社会部記者）わけだから、その通関士が密輸業者とグルということになれば、税関も対策が急務になってくるだろう。

２０１７年にピークとなった金塊密輸事件は、昨今激減している。取材記者が背景について指摘する。

「明らかにコロナ禍の影響で、インバウンドが壊滅したことが大きい。それ以前は、旅行者がアルバイト感覚で金を密輸入していた。税関でバレても、消費税を払って『すみませんでした』と謝れば、よほど悪質でない限り、罪に問われることはなかったからです」

実際、財務省が2020年9月9日に発表した2020年上半期（1〜6月）の金地金の押収量は、前年比25%減の約110キロだった。

「ただ今回、大阪府警に摘発された案件は、消費税が10%に上がった2019年10月より前。捜査当局は消費税が10%に上がって以降も、金塊密輸入は断続的に行われており、長いスパンでみれば取引額は増えているとみています。例えば、非課税の香港で1億円で買い付けた金塊を、日本に持ち込めれば、消費税分を上乗せした1億1000万円で売れるわけですから。19年9月までは1億8000万円だった。こんな効率のいいビジネスはない。しかも、コロナで金相場は暴騰《ぼうとう》しており、日本国内でも金を売る人が続出している有り様ですからね」（同）

政府統計（資源エネルギー庁、10月16日公表）によると、2020年8月分で、海外から輸入した金地金約23キロに対し、輸出は約4100キロと180倍に上る。金産出国でもない日本を舞台にした闇の金塊ルートがあることは、政府統計上からも明らかだ。

個人間「ヤミ金」に潜む日本社会のブラック化

「債務整理・自己破産・金融ブラックでもOK」を謳《うた》う

ＳＮＳ（ソーシャル・ネットワーキング・サービス）での「個人間融資」が広がっている。例えば、「債務整理・自己破産・金融ブラックでもOK」を謳う個人間融資情報サイト『H』の掲示板の書き込みを見ると……。

（借りたい人）

《宮城県、24歳、希望額25（万円）。突然、辞めさせられてしまいました。アルバイトをしていますが、支払い等々で間に合いません。返済に関しては徐々にはなりますが、必ず返します。よろしくお願いします》

（貸したい人）

《群馬県、融資可能額10万円。融資条件・対象は女性のみ・受け渡しは対面・身分証明書を提示》

運営会社の『H』は仲介料は取らず、個人間の仲介や紹介もしていない。それこそ、直取引で融資が行われるシステムだ。

SNSの個人間融資を悪用、借金の書き込みをした女性に対し、性行為を条件に最大で法定金利の約7倍で現金を貸し付けたとして2019年5月、大阪府千早赤阪村《ちはやあかさかむら》の職員（36＝当時）が大阪府警八尾署に貸金業法違反容疑で逮捕される事件が起こり世間を驚かせた。

同職員は複数の女性に現金を高利で貸し付けており、同年6月にも出資法違反で再逮捕。なかには16歳の少女もおり、買春容疑でも再逮捕された。こうした性行為を条件にした個人間融資は「ひととき融資」と呼ばれる。

ヤミ金事情に詳しい大阪クレジット・サラ金被害者の会『いちょうの会』事務局次長の新川眞一・司法書士はこう言う。

「『ひととき融資』には、デリケートな問題があり、サラ金被害のように表に出にくい。犯罪の温床になっていることは間違いありません。それこそ、社会の闇に埋もれたヤミ金です」

続けてヤミ金の最新事情について解説する。

「最近流行っているのは、『ファクタリングサービス』と呼ばれる融資です。これもSNSがその道具として使われます。給与日までにおカネが足りなくなったサラリーマンなどに貸すもので、言い換えれば立て替え払い。元金にプラスして手数料を取りますが、これは利息制限法の適用を受けない。業者は大阪市内にちゃんとした事務所を構え、電話もある。『利息はいただいております』と正当化していますが、実際はヤミ金レートです。手数料を金利に置き換えると、場合によっては利息制限法や出資法に違反します」

実は、ファクタリングサービスをめぐっては2017年1月、大阪府警が東京都の2業者、8人を貸金業法（無登録営業）違反容疑で逮捕している。資金繰りが悪化した全国の中小業者約250社に債権の買い取り契約を装い、総額3億円以上を貸し付け、1億円以上の利益を得ていたという。

同年7月には東京都の貸金業登録業者を同府警が出資法違反容疑で逮捕。高金利で全国175社に計6億7000万円を融資していた。これまで業者向けだったものが、個人間融資は名前の通り、会社員などの個人向けに変化しているのだ。

企業もブラック化し従業員を「軟禁」して搾取

それにしても、社会の闇に包まれた「ひととき融資」から「ファクタリングサービス」のような合法を装ったものまで、SNSを使ったヤミ金は広がる一方だ。背景に何があるのか。

「株価は上がっているが、消費経済はすっかり冷え込んでいる。特に大阪の落ち込みようは酷《ひど》い。実体経済は空洞化し、もはや従来のやり方では商売ができなくなり、賃下げどころか、従業員から搾取しなければ経営が続けられない企業のブラック化がある」（新川氏）

新川氏が挙げる例を2つ紹介したい。

1つは、電化製品の買い取り会社に勤務していた40代の男性A氏だ。

A氏は専門学校に進学した。奨学金の返済が150万円残っており、その分をサラ金から借りていた。A氏の会社は大阪で、関東に出張することが多かった。しかし、会社の業績が悪化し、貴金属の買い取り会社に。電化製品の買い取りで目をつけた家で貴金属を安く買い取り、それを転売して利ザヤを稼いだ。

しかし、A氏の出張費はゼロ、自腹だった。そのため、新たに2社のサラ金から計80万円を借金した。A氏は退職を願い出たが、会社は認めないばかりか事務所で段ボールを敷いて寝るようなタコ部屋生活を強いる始末。現在、A氏は自己破産するしかない状態だ。

2例目も40代男性のB氏。羽毛布団の販売会社で働き20数万円の給与をもらっていたが、突然委託契約にされ、手取りは6万~7万円に激減した。

B氏はサラ金からカネを借りられず、やむなく顧客十数人から1000円ずつ借りたところ、会社にバレ「(会社の)信用を落とした」として1500万円の迷惑料を約束させられるハメになった。

立場上、委託契約のB氏の仕事は、ホームセンターと『餃子の王将』のダブルワーク。キャッシュカード、通帳、印鑑を取り上げられ、手元には食事代2万~3万円が残るだけ。さらに、

３つ目となるトラック運転手として働かされ、Ａ氏同様タコ部屋状態が続いた。

堪《たま》りかねたＢ氏は２０１９年11月に脱出し、警察や弁護士に相談したが、埒《らち》が明かなかった。

そして、12月に消費者生活センターに駆け込み、新川氏が対応することになったという。

「まともにやっていては儲からないから、従業員をパワハラとマインドコントロールで軟禁状態にして搾取する。こんなブラック企業が増えている」（新川氏）

ＳＮＳを通じたヤミ金拡大の背後には、ブラック化する日本社会が透けて見えてくる。

教育現場に反社「明浄学院事件」の真相

創立98年の大阪の名門女子高「巨額金銭スキャンダル」

２０１９年４月で創立98年を迎えた大阪の名門私立女子高校などを経営する学校法人で、巨額金銭スキャンダルが相次いで発覚し、大騒ぎになっている。

問題の学校法人は『明浄学院』（西和彦理事長＝当時、大阪府熊取町）。不祥事の１つは大橋美枝子前理事長（63）が２０１８年４月に系列の大阪観光大学の運営資金１億円を関連会社に振り込むよう指示し、同社を通じて仮想通貨の購入に流用したというもの。

『毎日新聞』(2019年7月2日付)のスクープ報道を受けて同日、明浄学院の西・新理事長(元アスキー社長)が記者会見を開き、前理事長による1億円流用を認め、「職員から聞き取った」とされる資料を配布し、こう説明した。

「2018年4月20日、当時のO理事長の指示で法人の職員が1億円を『株式会社明浄』に振り込んだ。このカネを『株式会社明浄』代表取締役が東京の仮想通貨運営会社に持って行き、仮想通貨の購入に充てた。私的流用ではない。投資の詳細は株式会社明浄と東京の仮想通貨運営会社の問題なので詳細はわからない」

「2018年の6月、8月、9月の3度にわたり、株式会社明浄から学校法人に9000万円戻ってきている。残り1000万円も回収できる見込み。新校舎建設のため1円でも必要だったというのが、投資の理由とのことだが、リスクあるものに投資をするのは不適切だ。6月22日にO理事長は辞任し、私が理事長に就任した。理事の1人が告発状を東京地検特捜部に持って行き、一部のマスコミにもばらまいた。その理事も6月22日に退任した」

西理事長が「退任した」という理事は、元ライブドア副社長とのこと。

また、職員から聞き取り調査を行ったとされる配布資料には、次のような記載もあった。

《中国ブローカーからの留学生バックリベート(1人10万円)》《高校の土地を買った会社社長

との癒着》《留学生・野球部員のアルバイトによる派遣会社ピンハネ》《企業からのバックリベート》《パワハラ》《インドネシアなどのマンション購入》《会社から月10万円の顧問料》等々……。

しかし、これらの事実を裏づける証拠は明らかにされなかった。

『株式会社明浄』は、大阪府熊取町にある学校法人明浄学院と所在地が同じ。学校法人明浄学院、大橋美枝子前理事長、同法人元理事長の3者が出資して2016年11月に設立された学校法人の関連会社だ。大橋前理事長が取締役に就任、学校への事務員派遣業務を法人から受託していた。

宙に浮き不明になった〝21億円〟

7月20日、西理事長は再度記者会見した。そして、大阪市阿倍野区にある明浄学院高校の校舎建て替え資金として大阪府吹田《すいた》市の不動産会社に預けていた21億円が確認できない状態になっていることを新たに公表した。ちなみに、明浄学院の卒業生には、ジャズシンガーの綾戸智恵、モデルの前田典子、女お笑いコンビ『アジアン』馬場園梓らがおり、創立98年の名門私立女子高だ。

大橋前理事長時代、学校法人は高校の土地の一部を売った資金などで、総工費約85億円の校舎建て替えを計画した。２０１７年７月、大阪市の不動産会社に高校の土地の半分（約７０００平方メートル）を約32億円で売却する契約を結び、手付金21億円を受け取った。残った土地に校舎を建て替える資金として、土地売買を仲介した吹田市の不動産会社に預けた。

西理事長によると、預けた21億円について金融機関の残高証明を吹田市の不動産会社に求めたが、「証明するものがない。時間を下さい、と言われた」状態になっているという。

実は、学校法人明浄学院をめぐっては２年前の17年３月末、当時の明浄学院高校の校長、教頭をはじめ教員17人、事務職員１人の18人が退職している。背景には、運営側からのパワハラ問題や大阪観光大学の経営悪化に伴い、反社会的勢力の学校運営介入、明浄学院高校の土地の売却、同校の吹田市への移転計画が水面下で進んでいたことが指摘されている。

〝学校運営〟の混乱で、２０１７年４月に開かれた保護者説明会で、反社勢力との関係について学校法人側は「以前はあったが、今はない」と否定したものの、吹田市への学校移転計画があることは認めた。

吹田市への学校移転計画とは、明浄学院高校の敷地約４１５２坪（約１万３７０１平方メートル）を売却し、児童数の減少で２００９年３月に廃校した吹田市立北千里小学校跡地に移転するというもの。２０１６年から跡地購入を目的に吹田市と交渉を続けていた。

一部情報誌によると、交渉のやり取りの中で内閣特命大臣の関係者の名前も取り沙汰されていた。大阪市阿倍野区の一等地にある明浄学院高校の敷地を売却すれば、吹田市の小学校跡地を購入し新校舎を建設しても、銀行からの融資なども含め、その差額で儲けが出る、というのが狙いだった。

同年8月24日、明浄学院の関係者らは大阪府教育庁に同校の保護者会を開催するよう指導を求める要望書を提出。翌25日には、保護者らが法人の理事会が正常な学校運営を阻害しているとして、全理事の解任を求める上申書を所管の文部科学省に提出した。

吹田市への移転計画は取りやめとなり、現在地での建て替え工事に変更。今は建物の解体工事が行われているが、西理事長は20日の会見で、建て替え計画の再検討、さらに、不明になっている21億円についての告訴検討も表明した。

西理事長の下、学校法人明浄学院をめぐる闇がどこまで解明されるのか、注目したいところだ。

大橋美枝子

「50億円の土地」を狙った闇の中の内部抗争

創立98年の大阪の名門女子高の「巨額金銭スキャンダル」は進行し、ついに事件化した。

大阪地検特捜部は2019年12月16日、『学校法人明浄学院』の

大橋美枝子元理事長、東証1部上場の地場不動産大手『プレサンスコーポレーション』（大阪市）の山岸忍前社長ら6人を21億円の業務上横領容疑で逮捕、同月25日に全員を起訴した。

山岸忍

この事件とは別に、学校法人明浄学院が運営する大阪観光大学（大阪府熊取町）の運営資金1億円を着服したとして業務上横領容疑で大阪地検に告発されていた大橋被告と元理事については2月12日、嫌疑不十分とし、明浄学院をめぐる一連の捜査は終結した。

しかし、教職員の不当解雇や、理事会が元生徒と保護者を提訴した訴訟は引き続き行われており、明浄学院問題は根本的解決に至っていないのが実情だ。明浄学院でいったい何が起こり、現在どうなっているのか検証する。

大阪の私学関係者が、今回の明浄学院事件の背景について解説する。

「大阪観光大学も明浄学院高校も定員割れで経営が悪化したところに、反社勢力が乗り込んで学校乗っ取りを図ったことが原因です。あべのハルカスに近い一等地にある明浄学院高校の敷地は50億円を下らないといわれています。地上げ屋や反社会的勢力がその土地を狙って、内部抗争を繰り返し、大阪地検に逮捕されたんですわ。敷地の売却を狙って校舎の移転計画が持ち上がり、教職員が反対を表明したところ、当時の常務理事らがまるでヤクザまがいのような振る舞いで脅し、退職に追い込む、あるいは不当解雇した。土地売却に邪魔だったからです。先生が大量に退職することを知った保護者が学校側に説明を求める中で、明浄学院が大変なことになっていることを知った。何度も大阪府教育庁私学課や文科省に指導を求めたが、まともに対応せず今回の事件となった」

筆者が入手した当時の明浄学院関係者の『備忘録』によると、事の発端は経営難に陥った2014年に遡る。同年12月20日に開かれた学校法人理事会で当時の難波伸太郎理事長がいわゆるホワイトナイトである5億円の寄付支援者が決定したことを報告し、理事12人中11人の賛成多数で可決。基本合意が公開されなかったことから、理事の1人だった明浄学院高校の校長は反対した。

寄付支援者は病院や学校を経営するA会グループ（本部・東京都千代田区）で、同会関連の社団法人『国際人材育成支援機構』（東京都港区）を通じて寄付するというもの。翌2015年1月24日、臨時理事会が開かれ、寄付支援者・A会との基本合意が締結された。名前は非公開とされ、箝口令《かんこうれい》が敷かれた。それからほどなくしての2月11日、難波理事長が辞任。翌12日、平川憲一氏が理事長に就任した。ところが、平川氏も同月23日に理事長を辞任。今度は吉本富男氏が理事長に就任した。

学院乗っ取りを「反社会的勢力」が図った⁉

先の私学関係者が言う。

「吉本氏が理事長に就任してからですよ、学校がおかしな方向に走り出したのは。実は、前任者の平川氏が理事長に就任した翌日の2月13日、Sと名乗る男、ほかに5人が明浄学院を訪れている。理事長室で教頭が応対したのですが、誰1人として名刺交換に応じなかった。あとでわかったんですが、1人は吉本氏でした」

3月19日午後、新理事長に就く吉本氏の方針説明会が教職員に対し行われた。しかし、吉本氏はわずか5分で退席。教職員全員を唖然《あぜん》とさせた。そして、吉本新理事長就任日の3月27日、のちのち問題となる会合が天王寺都ホテル（大阪市阿倍野区、現・都シティ大阪天王寺）で開かれた。

会合には、岡山県のホテル経営者K・O氏と吉本理事長、学校関係者が出席した。この席でK・O氏が明浄学院高校用地の売却を示唆したという。K・O氏は暴力団と深い関係を持ち、乗用車の提供や組事務所の提供などで逮捕されたこともある人物で、「岡山のトランプ」と呼ばれていた。

先の私学関係者が指摘する「反社勢力」とはK・O氏のことである。この会合は、K・O氏と吉本理事長の要請で行われたという。つまり、学校乗っ取り、売り飛ばし計画が水面下で密《ひそ》かに進んでいたのである。

一方、前述した寄付支援者・A会からの5億円の振り込みは、期日である２０１５年４月１日になってもなかった。支援者・A会との「基本合意書」がやっと配布されたのは４月18日の理事会だった。

翌２０１６年４月26日、吉本氏は理事長を辞任。代わって明野欣市氏が理事長、大橋被告が副理事長に就任した。すると同年秋、明浄学院高校の吹田市への移転話が始まった。ちなみに、大橋被告は２０１７年６月、理事長に就任している。

大橋被告らの〝トンネル会社〟『株式会社明浄』が大阪府熊取町の大阪観光大学内に設立されたのは、２０１６年11月。明野理事長が代表取締役、大橋被告が取締役に就任した。大橋被告が業務上横領容疑で告発されたのは、学校法人明浄学院の理事会に諮《はか》ることなく、１億円を株式会社明浄に送金し、仮想通貨への投資に流用されていたというものだった。

突然5億円が振り込まれる不可解出来《しゅったい》

２０１６年４月26日、学校法人明浄学院の理事長が吉本富男氏から明野欣市氏に交代し、副理事長に大橋美枝子被告（理事長には２０１７年６月に就任）が就任したことは前述した。その直前、不可解なことが起きている。同年4月6日、法人口座に5億円が振り込まれたのだ。この5億円は同学院のホワイトナイトとされた医療法人・A会からの寄付金ではなかった。では、いったい誰が何のために5億円を寄付したのか。

詳細が明らかになったのは、3年数カ月後の2019年12月上旬。大橋被告、東証1部上場の地場大手不動産会社『プレサンスコーポレーション』(以下、プレサンス社)の部長・小林佳樹被告、学校法人明浄学院元理事で大阪市の不動産会社『ピアグレース』役員・山下隆志被告、大阪府吹田市の不動産会社『サン企画』社長の池上邦夫被告、プレサンス社前社長の山岸忍被告ら計6人が共謀して土地売却の手付金21億円を着服した業務上横領容疑で大阪地検特捜部に逮捕、起訴されてからである。

起訴状などによると、2017年7月、学校法人が明浄学院高校の土地の半分をピアグレースに売却する際、同法人に入金された手付金21億円をサン企画の口座に移して着服。当時から学校法人筋から「消えた21億円」と囁《ささや》かれていた。

土地は最終的にはプレサンス社が買い取る契約で、手付金21億円も同社が出した。2016年に大橋被告らは学校経営参入のため、ピアグレースの関連会社から18億円を借り入れた。先の寄付金5億円はピアグレースから借り入れた18億円の一部だったのだ。大橋被告は当時の吉本理事長に対しても、その中から10億円を貸し付けている。21億円は18億円の穴埋めのために横領したものだった。

この18億円ももとはといえば、プレサンス社の山岸被告が2016年3月〜4月に、山下被告の関連会社に送金したもの。山岸被告は、遅くとも2015年頃には明浄学院側と売買交渉を始めていたという。これが前述の4月26日の理事長交代劇の舞台裏だった。

それにしても、大橋被告はどうして明浄学院に入り込めたのか。大橋被告は岡山県警職員などを経て、岡山市で経営コンサルタント会社、社会教育を進めるNPOも運営していたことから、学校運営に関心を示すようになったという。

大橋被告にはダークな過去もあった。暴力団関係者の調査を請け負う架空の団体名を騙《かた》り、加盟金名目で神戸市の会社役員から1000万円を騙し取ろうとしたとして2012年5月、他の2人と共に詐欺未遂容疑で大阪府警捜査4課に逮捕、その後、不起訴処分になった経歴があった。

「岡山のトランプ」K・O氏の登場と売却・移転案

大橋被告が明浄学院入りしたのは暴力団と深い関係を持ち、「岡山のトランプ」と呼ばれていたK・O氏の紹介だったといわれている。K・O氏は頻繁に同学院に出入りし、移転・敷地売却話を何度も持ち掛けていた。

当時の学校関係者の『備忘録』によると、吉本理事長時代の2015年7月21日、K・O氏は数名の不動産業者と明浄学院に来校した。そして、学院関係者にこう伝えたという。

「現明浄学院敷地を売却し大阪市内に移転し、新校舎を建設（土地探しに1年、建設に1年）する。大学（大阪観光大学）は中国の大学と連携しベトナム・中国・韓国からの学生を留学させるために8月からテコ入れを開始。高校・大学は切り離さず連携する。資金はW社から注入する」

K・O氏は9月2日午後にも来校。12日に開かれた理事会・評議員会で敷地売却と高校移転案が提案されたが、評議員会は入り口論（A会との基本合意契約書の無効と現理事会の非正当性）で反対した。評議員会が流会となったため、売却案は宙に浮いたまま終了した。

そんな混乱の最中の10月20日、ホワイトナイトとされていた医療法人・A会から明浄学院側に「5億円の寄付と『本合意書』に関して一切関与していない」との内容証明が届いた。

12月1日、K・O氏は学校関係者と会談。同氏は「私は売却移転を提案したが、決定はしていない。話が複雑化してきているが、（私は）太陽光をはじめ、他の事業も多く抱えているので、この件にこれ以上関わっていられない」として、学校法人明浄学院を大阪の某学校法人に事業譲渡する提案をしたという。

12月上旬に開かれた理事会で、当時の吉本理事長が理事会交代を行うため、次期支援者と名乗る人物を来校させた。しかし、理事の1人が猛反発したため、理事会交代には至らなかった。このときの支援者が大橋被告らのグループだったことが翌2016年初めに判明することとなる。

K・O氏が学校関係者に「今後はこの3人に明浄を任せる」と『NPO法人サクシード・大橋実愛子（美枝子）』『学校法人M丘学園元理事長O』『学校法人I高等文化学院理事M』の名刺を提示。「今度は学校法人じゃけん。心配なかろう！」と言い、3000万円を学校関係者に渡そうとしたが、断られた。3月に入ってからも、K・O氏と学校関係者は会談の席を設け、こう話したという。

「副理事長は大橋、理事長は経産省出身の明野にする。太陽光発電ほかの仕事が山積しているので、彼らに明浄は任せる」

校長、教頭を含む18人の教職員が一斉退職することになったのは、その後のことである。

校長ら18人が一斉退職となった理事側のパワハラ

「先生がたくさん辞める」

「学校に暴力団が来てる」

保護者の1人が明浄学院に通う子どもから驚愕《きょうがく》の事実を告げられたのは、2017年3月中旬のことである。

話を聞くと、終業式で同校の校長や教頭、教職員が3月末で一斉退職することが明らかにされたという。その数はなんと18人。100年近くの歴史を誇る同校にとって、開校以来、前代未聞の出来事だった。

「学校で何かおかしなことが起きている」

そう疑問を抱いた保護者は同年3月29日、学校側に保護者説明会開催の要望書を提出。4月3、20日の両日、学校法人明浄学院側から当時の明野欣市理事長、大橋美枝子副理事長らが出席して保護者説明会が行われた。

保護者側からは教職員の一斉退職の理由、反社会的勢力との関係、学校敷地の売却と移転などについて質問が出た。これに対して明浄学院側は「一身上の都合、または契約満了による退職」「現校地2分の1の売却による建て替え、または移転して建て替える方針」「(一部報道されている)反社会的勢力の経営参加、取引はない」などと答えた。

4月20日の説明会では、教職員から理事に対し「嘘つき」との声が上がり、11人の教職員が保護者の前に出て来て「(理事会側の説明は)話が違う」などと相次いで発言する場面があった。

実は、説明会には欠席したが、保護者側が注目する理事がいた。2016年4月26日、明野理事長、大橋副理事長体制になった際、理事に就任したT・O氏だ。のちに常務理事となるのだが、終始、教職員の組合対策にあたっていた。

T・O氏は元ライブドア副社長で、写真週刊誌『フライデー』（2006年2月17日号）に〈ホリエモン側近「暴力団組員と豪遊」超親密写真〉と報道されたいわくつきの人物である。

2019年6月22日に理事長に就任した元アスキー社長の西和彦氏は記者会見で「T・O氏に対する告発」と題する資料を配布した。

同資料の中では、「(T・O氏の) パワハラは限りなくある」と指摘。実例の一部を紹介しよう。

2016年11月17日、某大学に合格した明浄学院高校の3年生4人を、系列の大阪観光大学に入学させるよう理事会側が高校側に命じた。その際、T・O理事と大橋副理事長（当時）のパワハラについて、明浄学院高校教職員一同の声明文が同年11月22日付で発表された。

声明文によると、呼び出した校長、教頭、進路指導部長、3年生担当2名に対し、T・O理事は「訴えるなら訴えろよ。こちらもお前を個人で訴えてやるよ！」「業務命令しかないな。業務命令出してやるよ」などと荒々しい言葉遣いで大声を出し、持っている飲み物の容器を机に何度も叩きつけて恫喝《どうかつ》したという。大橋副理事長も、T・O理事と一緒になって机を叩き、「訴えるなら訴えなさいよ。人事異動はありますよ」などと威嚇《いかく》したという。

頻繁な理事長交代は反社勢力に食い物にされた痕跡

当時の学校関係者の『備忘録』にはこう書かれてある。

《教職員一同による声明文に対し、対象教職員の確認の指令が副理事長からあった。副理事長はさらに、対象者を「処分する」との一言を付け加えた。因《ちな》みに、この「処分・責任追及」は副理事長、理事の常套句《じょうとうく》である。例えば、各会議の内容も守秘義務があり、万が一漏洩《ろうえい》した場合は、当該者の責任を追及し処分するといった具合である》

大橋副理事長やT・O理事の教職員に対するパワハラが、冒頭の一斉退職につながったのである。

教職員に対するパワハラはその後も続いた。トップに上り詰めた大橋理事長は大阪私学教職員組合委員長の明浄学院高校会長と同執行委員の教職員2人の懲戒解雇を断行（その後、裁判で懲戒解雇撤回、解決金の支払い、原告教員の退職で和解成立）。さらに、2018年3月には、2人の教職員（組合員）を「整理解雇」と称して不当解雇した（2020年3月26日、大阪地裁は解雇無効とし1170万円近くの支払いを命じた）。

また、部活顧問が90日間の出勤停止処分を受けたあと、懲戒解雇されたことから、授業料免除の特待生で推薦入学した生徒は部活動ができなくなった。生徒は他校に転校。これに対しても、明浄学院側は授業料返還を求める訴訟を生徒側に起こしており、いまだ継続中だ。

２０１９年６月22日付で大橋理事長は辞任。代わって西和彦氏が就任したことは前述したが、同氏も８月24日にスピード解任されている。新たに大阪観光大学学長の赤木攻氏が理事長に就任したが、これまた２０２０年１月29日に解任され、明浄学院高校校長の奥田貴美子氏が理事長に就いた。

こう日替わりメニューのように理事長がコロコロ代わる学校法人はない。巨額横領事件で日本私立学校振興・共済事業団は１月20日、大阪観光大学の２０１９年度の補助金をゼロにすることを決定。大阪府も２月14日、法令違反があったとして２０１９年度の経常費補助金の３割カットを決めた（２０１８年度は約１億６７００万円交付）。

筆者は２度、同学院に取材を申し入れたが、いくら待っても返事がこない。名門・明浄学院高校の敷地半分は現在、21億円をめぐる業務上横領容疑で前社長が逮捕されたプレサンスコーポレーションに所有権が移っている。

まさに反社勢力に食い物にされた跡がアリアリだ。２０２１年１月25日、元理事長・大橋被告に対して大阪地裁は、「業務上横領の事実において最も高額な部類に属する」と、懲役５年６カ月（求刑懲役７年）の実刑判決を言い渡した。同年２月９日には、『サン企画』元社長の池上邦夫被告に大阪地裁は懲役１年４カ月の実刑判決を言い渡した。

大阪・泉佐野市ふるさと納税「100億円還元」の波紋

豪華返礼品に「偽装広告」と断言する泉佐野市議

「あれ、偽装広告ですわ」

こう怒りをあらわにするのは、関西国際空港を抱える大阪・泉佐野市の市議会議員の1人。同議員が「偽装広告」と主張するのは、ふるさと納税（寄付金）に対する豪華返礼品で2017年度、2018年度と日本一になった泉佐野市が始めた100億円分のアマゾンギフト券還元企画（2019年2月1日〜3月末）だ。

同市議が「偽装広告」と断言する理由はこうだ。

「100億円のギフト券は予算で議決されるなど、裏づけがあるものではない。キャンペーンが終わってから、6月に市長専決予算として出そうとしているのです。ふるさと納税にかかる予算は、当初予算、不足すれば補正予算、さらに駆け込み寄付金でどうしても足りない場合に市長の専決処分で支出していたが、今回は議会にはまったく知らされず、市が勝手に始めたんですわ。過熱する返礼品競争に総務省が『原則、返礼品は寄付額の3割以下、地場産品に限る』と各都道府県に通知（2017年4月、2018年4月）し、2019年6月からの制度改正で泉佐野市など全国の自治体4市町がふるさと納税制度の対象外になることから、駆け込みでやったもの。開き直りもいいところですわ」

今回の100億円ギフト券プレゼントについて、市の担当者は「返礼額についてもともと規制はなかった。それまで小・中学の全18校にプールはなかったが、ふるさと納税で2018年度から3校にできた。やっと人並みの自治体になってきた。それを総務省は3年くらい前から〝規制、規制〟と言い始めた。2019年6月以降は法改正で規制がかかる。そうなると、返礼品の登録をしている140社のうち、半数が排除される。影響が出て経営が悪化するので、そうした企業の救済のために行うもの」と説明する。

一方、ギフト券の予算が計上されていないことについては「いくら応募があるかわからないので、計上のしようがない。やってみて、その結果を見て計上する」（同）という。

100億円のギフト券完売には、単純計算で750億円分の寄付金が必要となる。そうすると、ギフト券分と5割のふるさと納税返礼品の合計475億円を支出しなければならなくなる。

〝危険なふるさと納税ゲーム〟は泉佐野市長の売名行為か？

同市の年間歳入額は2016年度決算で580億円である。同じく歳出総額は579億円。

なんと歳出総額の8割を超えるのだ。

まさに、危険なふるさと納税ゲームといえる。いま、泉佐野市のふるさと納税サイトは、問い合わせが殺到し、パンク寸前の状態にある。

2019年2月12日、泉佐野市の「100億円還元」について石田真敏総務大臣は「身勝手なもので、教育上も問題だ」と名指しで批判したことから炎上。同年2月13日放送の『報道ステーション』(テレビ朝日系)が総務省と泉佐野市の全面対決を取り上げたことから、千代松大耕市長はメディアから悪代官に抵抗するヒーローのような扱いとなった。

そもそもふるさと納税は菅義偉《すがよしひで》首相が第1次安倍内閣の総務大臣だった2007年に創設を表明したのが始まり。背景には小泉純一郎首相時代の新自由主義に基づく構造改革で、地方交付税の大幅削減がある。地方自治体は財源不足に陥り、平成の大合併といわれる地方自治体の消滅・疲弊で大きな格差が生まれたことへの救済策だった。

制度は2008年からスタート。もともとは個人が出身地など、縁のある市町村に寄付した場合、住民税、所得税から税額控除するという趣旨だった。

ところが、予期せぬ問題が浮上。先の泉佐野市議会議員が指摘したように、多額の寄付金を獲得するため、過度な返礼品、あるいは地場商品とは無関係の返礼品を餌にする自治体競争が巻き起こったのだ。その是正のため、総務省は2017年と18年に〝返礼品は寄付額の3割以下、かつ地場産品にするよう〟通知を出したわけだ。

千代松大耕

菅義偉

石田真敏

　泉佐野市の場合、返礼品は寄付額の５割と大盤振る舞い。中身も「まるで通販タウン」と皮肉られる様相だ。特産品の泉州タオルや泉州野菜のほか、鹿児島県産うなぎ、青森の地酒、大手メーカーのビールやコーラ、果ては格安航空会社で使えるポイント、モンゴルのカシミヤ製品など、なんでもあり。その数は実に１０００種類に及ぶ。

　同市の２０１７年度の寄付金は１３５億円余り。ついに日本一となった。

「スタートした２００８年度は７００万円でした。いったん落ち込んだ年度もありましたが、以降は全般的に徐々に増え、いきなり４億５０００万円を超えたのが２０１４年度。ふるさと納税のポータルサイトを運営する会社が〝うちは全国の８割、１４００の自治体でふるさと納税を扱っている。増やす方法はありますよ〟と売り込んできてからというもの、倍々ゲームで寄付金が増えたと言われています」（泉佐野市関係者）

横浜市など関東の自治体からは、ふるさと納税による控除で〝税収が大幅に落ち込んだ〟と大ブーイングが起きている。当の泉佐野市でも、商工会議所トップが新年互礼会で「寄付金が百数十億円になった」と自慢する千代松市長に皮肉を込めてか「(地域経済が発展している)実感はない」と挨拶したという。

泉佐野市は関西国際空港開発を当て込んで〝ハコモノ〟を造った揚げ句、1400億円もの借金を抱え、2009年度に早期財政健全化団体に転落した。2015年度決算で同団体から脱却したが、いまでも1100億円の借金が残っている。

千代松市長は、740人いた職員を240人減らし、窓口はすべて民間委託にした。駅前商店街は空き店舗が目立ち、インバウンドも「バスが通過するだけ」(市民)という有り様だ。

市の命名権の売却で有名になった千代松市長は2019年4月に3選されたが、今回の騒動、どう見ても売名行為にしか映らない。

その後、泉佐野市のふるさと納税問題は、同市が国を提訴し、2020年6月、最高裁で逆転勝訴したことから同制度に復帰。同市は2020年9月に市独自の「ふるさと」納税制度もスタートさせたが、「2018年度の約100分の1、5億円集まればいい程度」(前出・市議会議員)という。

大阪・羽曳野市政を牛耳った〝ミニ浅田〟

〝ミニ浅田〟の所以《ゆえん》はまかり通る違法行為

２０１８年10月、農地を無許可で駐車場にしたとして農地法違反容疑で大阪府警に逮捕された大阪府羽曳野《はびきの》市の不動産会社『大黒住建』社長、堀内勉被告と親族で同社取締役の愛知浩被告。大阪地裁は1月8日、堀内被告に懲役1年、愛知被告に懲役10月、それぞれに執行猶予3年の有罪判決を言い渡した。

堀内被告は、羽曳野市では「食肉の帝王」と呼ばれた牛肉偽装事件で有罪になった食肉卸業『ハンナン』の浅田満元会長になぞらえ〝ミニ浅田〟と言われるなど、市政に大きな影響力を持ってきた知る人ぞ知る有名人である。

判決によると、堀内被告ら2人は共謀し、２０１６年6月、羽曳野市農業委員会事務局に対して市内の別法人が所有していた農地約５００平方メートルを農業従事者の経歴がないにもかかわらず、「野菜」を作るなどと嘘の許可申請を行い、同年7月上旬、農業委員会から所有権移転の許可を得た。

そして、別に取得した隣接地の農地約1000平方メートルと合わせた計約1500平方メートルについて、同月20日頃から8月下旬にかけて、大阪府知事の許可を受けないで、排水管を埋設したうえ、盛り土をして埋め立てるなど整地、造成。整地した土地は運送会社に貸与していた。

2人は、これまでにも農地の違法転用を羽曳野市から指摘されるなど、調整区域の強引な開発で利益を上げていたことは地元では公然の秘密だった。今回の農地転用事件では、同市農業委員会事務局の職員（市出向職員）と農業委員の2人も事情を知りながら移転手続きを進めたとして、農地法違反幇助《ほうじょ》容疑で書類送検された。

それにしてもなぜ、大黒住建の違法行為がまかり通ってきたのか。背景にあったのは羽曳野市長らへの長年の付け届けだ。

大阪府警が捜査で押収した資料の中に、贈答品リストがあり、北川嗣雄《つぐお》市長（当時）や幹部職員ら数十人が過去2年間で少なくとも400万円相当の贈答品を堀内被告から受け取っていた。贈答品はウナギ弁当や恵方巻、箱詰のブドウ、リンゴなど。

市関係者の1人は、声を潜めて羽曳野市役所の実態をこう明かす。

「堀内さんから秘書課に電話がかかってきて、職員が公用車でもらいに行くというのが慣例になっていました。贈答品は幹部職員だけではなく、一般職員もおすそ分けにあずかっていました。市職員の参加する会合などで弁当を差し入れたり、職員の昇進祝いを渡したり、庁内ではみんなが知っていたことです。始まったのは10年ほど前から。リストにあった400万円相当の贈答品以外に、何かあっても不思議ではありませんが、その贈答品リスト以外は〝何も警察にしゃべらなかった堀内さんは偉い〟と公言する市関係者もいますよ」

10年ほど前といえば、それまで羽曳野市政を支配してきたハンナンの浅田元会長に実刑判決が下り、影響力が急速に低下していた時期と重なる。北川前市長（2004年初当選、2020年7月まで4期）の1期目から2期目だ。

北川嗣雄

市職員情実採用の〝黒い噂〟もあった！

堀内被告を知る住民の1人はこう語る。

「地域の区長も務める有力者ですわ。地域の集まりなんかで飲むときなど費用は全部、堀内さんが出します。自宅は和風の豪邸で、家の中では高級腕時計のロレックスをそこらへんにポンと置くなど、とにかく大金持ちですわ」

今回の事件については社会部記者が解説する。

「大阪府警は当初、汚職事件として内偵していました。しかし、贈答品は職務権限がない幹部職員にも贈られていたことで特定の幹部

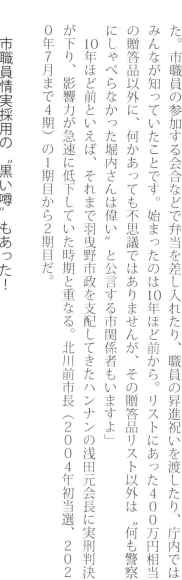

羽曳野市役所

職員を立件するのが難しくなり断念。結局、これまで噂されていた農地法違反容疑で堀内被告らを逮捕することになったのです」

羽曳野市の職員にとっては「みんなでもらえば怖くない」を地で行く話だが、同市にはまだまだ深い闇がある。

「金品の授受を行った市職員の情実採用の噂が絶えないのです。1人300万円とか、合格点に足りない受験者は200万円で下駄《げた》を履かせてもらうとか……。他市の人から〝羽曳野市は職員採用試験を受けても受からない〟と言われているほどです」(前出・羽曳野市関係者)

職員への贈答に加えて、不正採用の噂が事実だとすれば、羽曳野市役所の腐敗ぶりは底なしだ。

書類送検された農業委員会メンバーも、肉や酒の贈答品をもらっていたことがわかっている。

農地法違反事件と表裏一体の関係にある贈答問題について、北川市長はどう説明しているのか。

２０１８年11月2日、同市のホームページで北川市長は《農地法違反事件に関連して、本市の特別職や幹部職員等が容疑者から相当な金額の物品の提供を受けたなどとする報道がなされたことについては、非常に遺憾であります》と、まるで他人事のようなコメントを発表。

併せて、堀内被告からの贈答が慣例化していたことについて、次のような信じがたい見解を示しているのだ。

《本市といたしましては、不動産会社社長としてではなく、地域の区長としての交際であり、社会通念上、許される常識の範囲内のものであり、法令・条例等に抵触するものではないという認識であります》

２０１８年12月7日の市議会一般質問で、北川市長は贈答には一切触れないまま、「いち区長との付き合い」と従来の主張を繰り返した。

市長を筆頭に幹部職員なども、公務員であることを忘れた感覚マヒのトンデモナイ役所になっている。

吉本興業「政権商売」の内幕

官民ファンド『クールジャパン機構』の見えざる背景

「官民ファンドの投融資で極めて不透明な動きを見せるものがある」

2019年10月15日に開かれた参院予算委員会で立憲民主党副代表兼参院幹事長の蓮舫《れんほう》氏はこう切り出した。

そして、第2次安倍政権発足後の2013年に設立された官民ファンド『クールジャパン機構』(東京都港区・六本木ヒルズ)が19年4月、『吉本興業ホールディングス』(本店・大阪市中央区)がNTTグループと立ちあげた「教育コンテンツ等を国内外に発信する国産プラットフォーム事業」に最大100億円も出資する問題と、その背景について取り上げた。

この問題は6月に写真週刊誌『フライデー』の報道で発覚した、いわゆる吉本芸人の闇営業問題が世間を騒がせていた最中、一部メディアが取り上げた。ネット上では「所属芸人が反社会的勢力から闇営業でギャラをもらっていたのに教育事業なんて!　それも政府が100億円ものカネを出すとは」と炎上したが、いまは沙汰やみになっている。

政府が７５７億円（19年９月時点）を出資する同機構は、14年と18年の２回、吉本が関わる事業へ計22億円出資。今回で３回目となるが、もともと安倍政権と吉本はズブズブの関係だ。

例えば４月20日、安倍首相は大阪市中央区にある吉本のお笑い劇場『なんばグランド花月』に現役首相として初登場。６月６日には、吉本芸人が官邸を訪問するなど〝蜜月ぶり〟をアピールした。

冒頭の参院予算委員会で蓮舫議員から吉本訪問の理由を問われた安倍首相は「（大阪で開催された）Ｇ20（６月28日、29日）の大幅な交通規制を周知徹底するため、非常に強い発信力と伝播《でんぱ》力を持った吉本のみなさんにご協力いただくのは非常に適切と考えたから」と説明したが、「交通規制」への協力などほんの前座にすぎない。

この日の予算委員会で、蓮舫議員が質《ただ》した不透明なカネとヒトの動きについて、以下、明らかにしたい。

蓮舫

吉本は沖縄でエンターテインメント人材を育成するための「沖縄エンターテイメント構想」を２０１４年に発表。２０２０年に教育施設完成を目指すとしていた。当初は県内の米軍基地跡地を活用する方向で検討されたが、実現に至らず、結果として２０１８年４月９日、独自で那覇市に『沖縄ラフ＆ピース専門学校』を開校した。

2019年4月21日、吉本はNTTグループと共同でインターネット上で教育分野を中心としたコンテンツを発信する国産プラットフォーム事業「ラフ&ピースマザー」を立ち上げ、4月中に那覇市内に事業会社を設立し、10月以降に事業を開始することをぶち上げた。この「ラフ&ピースマザー」にクールジャパン機構が最大限100億円出資する予定というのが、吉本芸人闇営業問題の際、一方で炎上したわけだ。名称がほぼ同じことでもわかるように、吉本が先行して立ち上げた専門学校の人材を活用先にするのである。

〝不透明な動き〟はこれだけではない。6月20日、政府は普天間《ふてんま》飛行場などを対象に「第1回基地跡地の未来に関する懇談会」を開催した。同懇談会のメンバーは5人で、そのうちの1人は吉本興業の大崎洋会長だ。

〝モリ・カケ問題〟と同構図な吉本が目指す「教育の会社」

選考理由について、衛藤晟一《せいいち》・沖縄担当大臣は「吉本の大崎会長は10年ほど前から沖縄国際映画祭を開催されており、その知見を考慮した」と説明。蓮舫議員は同懇談会の発足時、当時の宮腰光寛・沖縄担当大臣が「基地跡地利用、沖縄振興にとって極めて重要。その核となる施設の検討は、この懇談会で跡地の活用法を提案してほしい」と発言していることを紹介。同懇談会が基地跡地を何に使うか大きな影響力を持っていると指摘した。

一方、同懇談会はこれまで2回開催されている（2019年10月15日時点）。議事録は非公開。公表されているのは議事要旨だけ。蓮舫議員はその中から、1つの発言要旨を取り上げた。

《沖縄をエンタメ・スポーツの世界一の島にするなどのテーマを掲げ、デジタルを融合させるなどスマートシティが必要》

蓮舫議員は「この発言はクールジャパン機構と吉本興業が立ちあげた〝ラフ&ピースマザー〟が展開する事業とまったく合致した内容。これは偶然ですか？」と問い質したのに対し、衛藤担当大臣は次のように誰の発言であるか明らかにしなかった。

「誰がどうしゃべったかということについては、自由闊達《かったつ》に議論をしていただいていることですから、特定してしゃべることはできない」

宮腰光寛

衛藤晟一

一連の動きについて、蓮舫議員は「安倍首相が吉本の舞台に立ち、吉本の芸人が首相官邸を訪問した時期（4月、6月）は衆参両院で『重要課題が山積している。内閣は予算委員会を開くよう』強く求めていたとき。そんなときに予算委員会を開かず、吉本の人たちと付き合い、100億の国費を支出して吉本の会長がメンバーに入った懇談会が発足し、この秋から事業を始め、2020年春から実施するという。これは〝モリ・カケ問題〟と同じ構図」と指摘した。

「ラフ&ピースマザー」構想に際して、《大崎会長は「吉本は教育の会社になる」と明言した》という(『ビジネスインサイダー』2019年4月22日付、ジャーナリスト・小島寛明氏)

所属芸人の闇営業問題は徹底解明されていない。すでに処分を受けた芸人の復帰が伝えられている。そんな企業が「これから教育の会社」とは、あまりにもブラックユーモアすぎる。

クールジャパン機構の体現『クールジャパンパーク大阪』

JR鶴橋駅から大阪環状線に乗って何気なく窓の外を眺めていると、大阪城公園を左手にして森ノ宮駅から大阪城公園駅間に何やら見慣れぬ白い建物が建っているではないか。確か、緑の樹々が植わっていたはずで、それはない。いったい何だろうと首を傾《かし》げるようになったのはこの春(2019年)からである。

そんな筆者の疑問が氷解したのが、吉本興業所属芸人の闇営業問題をきっかけにその名前が知られるようになった政府系投融資ファンド『クールジャパン機構』(東京都港区、北川直樹社長)。建物の正体は、2月23日に開業したばかりの『クールジャパンパーク大阪』だった。

「訪日外国人向けエンターテインメント発信」を目的に、クールジャパン機構が12億円出資して吉本興業や在阪のテレビ局など民間12社と共に、インバウンド施設として大阪城公園内に大

クールジャパンパーク大阪のTTホール

小３つの劇場の運営・管理事業を展開しているのだ。

明石家さんまが命名したといわれている３つのホールがある。最大ホール「ＷＷ」（笑い）と中ホール「ＴＴ」（楽しい）と小ホール「ＳＳ」（すごく楽しい）の建物だ。こけら落としとして、ＴＴホールで明石家さんまと『ナインティナイン』岡村隆史主演の『花の駐在さん』が開業日の２月23日に公開された。

筆者が３ホールを訪ねた10月中旬、「ＷＷ」の催し物の看板には「よしもと大笑い祭り寄席」のお知らせが……。向かいの「ＴＴ」ホールでも「よしもと大笑い祭り２０１９」を知らせる張り紙が掲示されていた。

この日は音楽劇『トムとジェリー』が上演

されていたためか、客は日本人の若い女性ばかり。インバウンドというより、どう見ても吉本劇場・大阪城公園版なのだ。

この3つのホールは300本を超える樹木を伐採して造ったもの。市民からは「なんで貴重な木を切ってまで劇場を造る必要があったのか」と大阪城公園の所有者である大阪市に疑問が寄せられた。

筆者も担当部局の大阪市経済戦略局観光部観光課に問い合わせると、こう答えが返ってきた。

「公園面積の4％までは建物を造ることが法律で認められています。言われている樹木の伐採は、大阪城公園を管理運営している指定管理者の『大阪城パークマネジメント共同事業体』(大阪市中央区大阪城1番1号、代表者・大阪城パークマネジメント株式会社)と協議し、許可しました」

大阪城公園の指定管理者である大阪城パークマネジメント共同事業体の構成員は、電通、読売テレビ放送、大和ハウス、大和リース、NTTファシリティーズの計5社。共同事業体は冒頭のクールジャパンパークのある大阪城公園、大阪野球場、大阪城西の丸庭園、豊松庵《ほうしょう》、大阪城天守閣、大阪城音楽堂の各施設の指定管理者である。

ちなみに、クールジャパンパーク大阪の13社の民間運営事業者は、吉本興業以外は、MBSメディアホールディングス、朝日放送グループホールディングス、関西テレビ、読売テレビ、テレビ大阪、エイチ・アイ・エス、ＪＴＢ、ＮＴＴぷらら、ＫＡＤＯＫＡＷＡ、滋慶、電通、ＵＦＩＦＵＴＥＣＨ（現ファミマデジタルワン）だ。

このメンバーと指定管理者の構成団体とは重なっており、どうみても馴《な》れ合いがミエミエのクールジャパンパーク大阪の立ち上げである。

吉本タレント総出で行われた「維新支援」

吉本興業への優遇はこれだけではない。１９７０年に開催された国際博覧会の跡地、大阪府立万国博覧会記念公園（大阪府吹田市）の指定管理者にもなっているのだ。

なぜ、大阪府・大阪市は、これほど吉本興業を優遇するのか。元松竹芸能所属の漫才師でもある清水忠史《ただし》衆院議員（共産党）は、10月14日に行われた『ＮＨＫとメディアを考える会（兵庫）』が主催した「吉本興業と安倍官邸・維新の会　その笑えぬ癒着」で次のように報告した。

清水忠史

まず２０１７年11月、大阪市と吉本興業は「市民サービス向上と地域活性化」のため「包括連携に関する協定書」を締結。この協定書に沿う形で、万博記念公園の指定管理者に吉本興業を選定、大阪市福島区長に吉本の子会社『よしもとデベロップメンツ』の大谷常一取締役を選任した。

持ちつ持たれつの関係か、吉本興業は大阪万博、ＩＲ（統合型リゾート）参入のため、大阪都構想実現と大阪維新の会候補者当選を全面支援しているのだ。

経済産業省が主催する大阪・関西万博具体化検討会の委員には吉本興業の大崎洋会長が就任。松本人志は大阪万博のアンバサダー。

永藤英機

２０１５年5月に行われた大阪都構想に対する住民投票前には、吉本興業所属のタレント・たむらけんじが大阪市内で大阪都構想勉強会ＬＩＶＥを開催。約３００人が集まったこの勉強会には、ニュースキャスターの辛坊治郎氏を講師に迎え、2時間にわたって都構想を宣伝、たむらけんじは「反対の人、気持ち悪い」と暴言を吐いた。

２０１７年9月24日投開票の堺市長選挙では、坂田利夫をはじめ吉本芸人総出で維新公認の永藤英機氏を応援した。さらに目立つのは、所属芸人らの相次ぐ「韓国と付き合いやめてもええんちゃうか」という露骨な嫌韓発言の数々だ。

安倍首相や大阪維新の会の意向を世間に発表する相互協力の背景について、先の清水議員は「吉本のＩＲエンタメ施設運営利権獲得と憲法9条に自衛隊明記を狙う改憲がある。吉本はお笑いの本質にある権力者風刺から最も外れたところにある」と批判している。

次々明らかとなる吉本興業の笑えない体質

所属芸人の闇営業問題に続き、安倍政権と大阪維新の会との怪しい関係、『チュートリアル』徳井義実の所得隠し、さらに広告でありながら、それを明示しない「ステルスマーケティング」（ステマ）疑惑と、吉本興業の笑えない体質が次々に明らかとなっている。

２０１９年11月5日に開かれた京都市議会総務消防委員会。1回のツイートで50万円も吉本側に支払っていた京都市は、ステマ疑惑が指摘されている「ツイート」は「吉本側から持ち込まれたもの」と答弁する一方、「#京都市盛り上げ隊などとハッシュタグを付けている」とステマを否定した。これは吉本興業とまったく同じ見解だ。

「どう見ても京都市の広報とは、わからない」

と同委員会で質問したのは、加藤あい市議（共産党）。加藤市議は「ＷＯＭ（Word of Mouth の略語、いわゆる口コミ）マーケティング協議会のガイドラインでも、金銭などの提供が行われる場合、提供の有無は示されるべきと、関係性明示（主体の明示、便益の明示）を義務づけている」と指摘した。

さらに、「これまで市のＰＲは『京都観光おもてなし大使』に就任した歌手の倉木麻衣のように個人との契約だったが、今回は吉本興業をＰＲに使うなど異例の措置を行っている。契約内容も不透明なことばかりだ」と、入手した吉本興業（当時は、よしもとクリエイティブ・エージェンシー）と京都市の業務委託契約書に基づき質した。

京都市市長公室広報担当や業務委託契約書によると、2017年度の吉本興業との業務委託契約は、京都国際映画祭と連携した「伝統産業の日」をPRしてもらうため、よしもと祇園花月で「伝統工芸新喜劇」を計10回上演、20万人のSNSフォロワーを有する吉本所属タレントの発信……等々というもの。委託料は計216万円だった。

同契約でSNSを発信したのは〝キム兄〟こと木村祐一、『コロコロチキンペッパーズ』のナダル、『タナからイケダ』、福本愛菜、『ミキ』の計7人で、SNS委託料は合わせて50万円だった。木村祐一は『〝着物で乾杯〟@北野天満宮』などと投稿していた。

2018年度はこうだ。『京都国際映画祭2018』PRのため、フランス・パリへのタレント派遣、『きょうと市民しんぶん』やそのメインコンテンツ「京都市民ニュース」などに登場、ポスターを制作し地下鉄各駅への掲示や30分おきに地下鉄構内でのアナウンス、岡崎公園の特設ステージでの司会進行、SNS発信など。委託料は計420万円だった。

このうち、「京都市盛り上げ隊」には兄弟で漫才コンビを組む前述の『ミキ』が起用された。『ミキ』はSNS発信1回50万円を2回やったことで、計100万円が吉本興業に支払われた。これが「1回のつぶやきで50万円！」と世間を騒がせたツイートだ。

２０１７年度は７人で50万円なのに、18年度の『ミキ』へは１回50万円と、どこに基準があるのか摩訶《まか》不思議な契約ではないか。紹介した２つの業務委託契約は、競争入札ではなく、随意契約。要は、当局のさじ加減でどうにでもなるのだ。

吉本興業べったりの京都市〝ステルス〟映画祭

今回のツイート騒動について京都市政関係者はこう解説する。
「京都市としては、京都市の名前を出すと堅いイメージがあるから若い人は敬遠してしまう。それで吉本を使ったというのが本音だと思います。それこそ、京都市によるステルス作戦ですよ。これがまかり通ると、世論誘導もできてしまう。日弁連も法規制の対象にすべきと、２０１７年に意見書をだしている」

京都国際映画祭にしても、ある種〝ステルス〟だ。「吉本興業がやっているようなもので、京都市主催ではない」（京都市広報担当）。実際、主催は京都国際映画祭実行委員会で、同委員会から運営委託を受けているのが、吉本興業のグループ会社『きょうのよしもと』（本社・東京）なのだ。

２０１９年も『京都国際映画祭２０１９』が10月17日〜20日まで開催された。西本願寺南能楽堂のオープニングセレモニーに出席した１人はこう振り返る。

「キム兄と地元テレビ局のアナウンサーが開会宣言して、著名な映画監督や俳優、そして西川きよしや桂文枝など吉本の大御所が登壇した。ところが、なぜか安倍首相を支える菅義偉官房長官や萩生田《はぎうだ》光一文部科学大臣の祝電が読み上げられた。権力臭がプンプンし、いっぺんに気持ち悪くなりましたわ。これ、なんの映画祭なんやと」

京都市は吉本を使って市関連のPRをする。財源は税金だ。市民にすれば、知らぬうちに懐からカネを抜き取られていることになりはしないか。

実は、京都市はほかにも複数の委託契約を吉本と結んでいる。その1つが人権啓発事業だ。正式名称は『ヒューマンステージ・イン・キョウト2019』。1月26日に吉本芸人による「人権トーク&お笑いライブ」が行われたが、とてもじゃないけど笑えない契約だ。

また、吉本とズブズブの関係にある官民ファンド『クールジャパン機構』はNTTぷらら、YDクリエイション（吉本興業と電通が50％ずつ出資）、文藝春秋、イオンエンターテイメントと新ファンド運営会社『ジャパンコンテンツファクトリー』を2018年5月に設立している。

クールジャパン機構は吉本が関わる事業に計179億円ものカネを投資するなど「まさに銭ゲバ企業」として槍玉《やりだま》に挙がっている。

第二章　暴露された原発マネー

関西電力「原発マネー」還流のからくり

キーマン高浜町・森山元助役の存在

東京電力と並んで日本の電力会社を代表する関西電力（大阪市北区、岩根茂樹社長〈当時〉）をめぐる大スキャンダルが2019年9月27日、明るみに出た。同経営陣20人が少なくとも2011年から7年間に福井県高浜町の元助役から約3億2000万円相当の金品の提供を受けていたのだ。

共同通信社が金沢国税局の税務調査をもとにスクープ、各メディアが一斉に報じ、関電のみならず、他の電力会社でも「そうしたことがあるのではないか」と、てんやわんやの大騒動になっている。

これまでも原発マネーにまつわる黒い噂はたびたび話題になってきたが、電力会社の経営陣に還流していたことが表沙汰になったのは初めて。電力会社が国民から徴収する電気料金を経営陣が自らの懐に入れていた——とんでもない背信行為である。

なぜ、こんなデタラメが長年続いてきたのか。その背景を追う。

関西電力経営陣にバックマージンを渡していたのは、原発銀座と呼ばれる福井県若狭湾にある高浜町の元助役・森山栄治氏（2019年3月、90歳で死去）。原資は、森山氏と一心同体の関係にあった原発関連業者『吉田開発』から提供されていた。

森山氏は隣接する京都府綾部市の職員を経て1969年、出身地である高浜町役場入り。トントン拍子で出世し、町役場中枢部の企画課長、統括課長などを経て1975年10月に収入役の町役場三役に駆け上がった。それから1年半も経たない1977年4月、ナンバー2である助役に就任。10年の長きにわたりその座にあったが、3期目任期途中の1987年5月、突然退任した。

退任後は、町都市計画審議会会長、同教育委員会委員、同委員長を歴任する一方、関西電力の全額出資子会社『関電プラント』（大阪市）に非常勤顧問として30年以上いた。同社とは、2018年12月まで非常勤顧問契約を結んでいた。

森山栄治元助役

森山氏は、その〝強面《こわもて》〟ぶりから高浜町職員の間で「Mさん」、町民からは「影の町長」の隠語で呼ばれていた。関電内でも「Mさん」、または「高浜町の天皇」と呼称していた。当然ながら、それは「尊敬」からくるものではなく、森山氏が近寄りがたい「怖い人」にして「利権屋」だったからだ。

その片鱗が垣間見えたのが、町役場の中枢部入りした企画課長時代に起こったある疑惑だ。職権を利用して自己所有地（397平方メートル、評価額10万円）を高浜病院横の町有地（496平方メートル、評価額120万円）と交換したのだ。この問題は町議会で追及され、当時の町長、助役も震え上がったほど。

始まりは町政を揺るがす「9億円事件」

森山氏が3期目の任期途中で助役を退任したと前述したが、背景には同氏の金銭スキャンダルがあったのだ。11期目の古参町議である渡辺孝氏（共産党）は、こう明かす。

「当時、警察が森山助役の身辺を調査していたという噂が流れていました。それで森山さんは、慌てて『病気辞任』したんだと思いますね」

森山氏をめぐってはこんな話もある。

今から40年以上前の1978年、高浜原発3号機、4号機増設のため、関電は町や漁業協同組合に9億円の寄付金を出した。当時、町は関電と交わした覚書の公表を拒んだため、その使途について疑惑が持ち上がった。その際、助役だった森山氏の落とした手帳に、関電からの協力金は9億円ではなく〝25億円〟と書いてあったことが町議会有力者の証言で明らかになったのだ。しかし、この巨額原発マネーはいまだ行方知れずのまま。

渡辺町議は25億円の巨額原発裏マネーが明るみに出た経緯を説明する。

「町議会議長をしていたＩ氏がのちに私に告白したことからわかりました。Ｉ氏は、次は４期目だった当時の浜田倫三町長（在職期間１９６２年10月〜１９８２年10月）から『俺の跡継ぎはお前だ』と言われて、高浜原発３、４号機の増設（１９８０年８月認可）のため一生懸命がんばったそうです。ところが、浜田町長は辞めると言わなかった。それで『約束が違う』とＩ氏は怒り、議長在任中（議長在籍期間１９７３年５月８日〜１９７８年３月７日）に自分で町長選挙運動をやりました。それで、地域の挨拶回りをしていたなかで同和問題について発言したところ、森山助役の耳に入り、糾弾が始まったそうです。『差別者』と自宅に何度も電話がかかってきたといいます。そんなことがあって、Ｉ氏は脳溢血《のういっけつ》で倒れ病院に入院。ロレツも回らなくなり半身不随になりました。私が議員１期目（１９７９年初当選）のとき、退院されたＩ氏の自宅を訪ね、先の25億円の話が出たんです。当時、Ｉ氏が助役室を訪ねたところ、森山氏の手帳が机から床に落ちていて拾って何気なく見ると、寄付金は9億円ではなく〝25億円〟と記述してあったそうです。もちろん、森山助役も3、４号機増設に動いていた時期です」

このときの寄付金と利子を合計した9億２８００万円のカネは、浜田町長の個人口座に関電から振り込まれていた。以来、「9億円事件」として町政を揺るがすことになったのだ。

２０１９年9月30日、今回の事件で関電幹部が高浜町を謝罪に訪れた。このあと、記者会見した岡本恭典副町長はこう語った。

「森山氏の助役時代、関電の人が助役室に頻繁に訪ねてきていた。森山氏が関電の人を叱責《しっせき》する声がよく聞こえてきた……」

時代劇さながら「菓子袋に金貨」の賄賂

「菓子袋を開けたら、中に金貨が入っていてびっくりした」

福井県高浜町の森山栄治元助役から関西電力経営陣へ渡った3億2000万円もの原発マネー還流問題。1000万円近い金品を受け取っていた八木誠・関西電力会長（10月9日辞任）も同席して開かれた10月2日の記者会見で、岩根茂樹社長（辞任発表、150万円相当を受け取る）は冒頭のように語った。

岩根社長の釈明に対し、真っ先に国民の頭に浮かんだのは、時代劇の名台詞《せりふ》。

「越後屋、お主も悪よのう」

「いえいえ、お代官様ほどでは……」

出入り業者が密室で役人に渡す賄賂の常套句《じょうとうく》として一世を風靡《ふうび》したものだ。

まさにこの台詞通り、森山元助役と関電は持ちつ持たれつで、共に大きくなっていった。東日本大震災による福島原発事故で東京電力が日本の原発開発のリーダーから転落し、いまや関電がその牽引《けんいん》車になっている。それもこれも、森山元助役のおかげである。

森山元助役が、高浜町民から「天皇」とまで呼ばれる存在になったのは、どうしてか。森山元助役の軌跡を改めて振り返ってみたい。

郷土誌『青郷』では、高浜町出身の森山氏の経歴を次のように紹介している。

《昭和3年10月15日生まれ。昭和24年5月、京都府に奉職。以後、綾部市などを経て昭和44年12月、高浜町に奉職。民生課長、統括課長、企画課長、収入役、助役としてその職責を果たした》

《特に原子力発電所の誘致に献身的に取り組み、原子力発電に係る安全性の確保について広く啓蒙する一方、住民との十分なる対話をつくし、実現にこぎつけるなど、その活動実績は誠に顕著なものがあった》

《また、一方で人権教育にも力を注ぎ、人権問題の啓蒙啓発活動により町民に意識付けを行ったことは大きな意義があったと言える》

高浜原発1号機の設置許可が出たのは1969年12月12日。森山氏は直前に高浜町入りしたことになる。一般的には、ワンマン町長として知られていた当時の浜田倫三氏（故人）が、京都府綾部市の

八木誠会長（当時）

岩根茂樹社長（当時）

職員だった森山氏を呼び寄せたといわれているが、地元町議の1人はこう言う。

「関電は高浜原発1号機、2号機のあと、3号機、4号機を設置することをすでに決めていた。それを実現するため、当時の浜田町長を通じてか、別ルートで森山さんを呼び寄せたのか、あるいは森山さんなりの事情で高浜町役場に入ったのかわからないが、いずれにせよ、森山さんも町長も関電も、利害が一致していたことは間違いありませんわ」

前任地の京都府綾部市役所の元職員は「彼とは土木で1年ほど一緒でしたが、目立つ存在ではなかったです。役所にはふらっと入ってきて、また、ふらっと出て行った感じですね。なんか不思議でしたわ」と森山氏について述懐する。

突然、綾部市役所を退職し、高浜町役場入りした森山氏は、地元でなにをやっていたのか。

〝森山マネー〟のベースとなった同和問題対応

筆者の手元に高浜町教育委員会が発行した『高浜町同和教育25周年記念誌』のコピーがある。その中に「高浜町の部落解放運動」の章があり、同記念誌によると、解放同盟高浜支部が結成されたのは昭和44年（1969年）2月1日と記載され、経緯をこう紹介している。

《戦後における福井の部落解放運動は昭和44年に部落解放同盟高浜支部が結成されるまで長い空白があった―略―高浜支部の結成は福井各地の被差別部落に大きな影響を与え、その後、福

井における部落解放運動の拠点を築いた》

そして、結成当時の支部書記長に就任したのが森山氏だった。森山氏についてはこう記述している。

《特に書記長になった森山栄治氏は以前は、解放運動の進んでいた京都府綾部市の職員として勤務していた関係もあり、解放運動にも詳しく支部結成に積極的な役割を果し、その後、昭和47年（1972年）まで高浜支部の解放運動の中心的な役割を担った》

記述通りだとすると、森山氏は解放同盟高浜支部結成のため、出身地である高浜町に戻ったということになる。事実、支部結成に至るまで解放同盟中央本部の幹部が高浜町にオルグ活動に入ったことを、同記念誌は記載している。

捏造《ねつぞう》された女性教師差別発言問題では、助役だった森山氏自ら小学校に乗り込んで糾弾活動を行ったという。同記念誌によれば、当時、町長だった浜田氏は、真っ先に「屈服」した人物である。

森山氏の威光は早くから福井県政にも及んでいた。福井県健康福祉部人権室によると、森山氏は昭和46年（1971年）から2018年3月までの47年間、福井県の客員人権研究員に就任。人権行政のアドバイザー役を務めるとともに、福井県人権施策推進審議会委員にも就いている。

森山氏は晩年、京都市内のマンションに住んでいた。県幹部は異動した際、同マンションへ挨拶に訪れるのが慣例だった。先の人権室長もその1人だった。

「平成29年度に就任挨拶のため、京都市内のマンションに行きました。その後、森山さんは体調を崩して入院、高浜町に戻りました。それから県の人権政策立案のアドバイスを受けるため、高浜町の自宅を何度か訪問しました。平成30年3月、本人からの申し入れでアドバイザーを辞任しました」（人権室長）

地元紙では、人権室が所属する健康福祉部幹部や警察署長にまで〝森山マネー〟が行きわたっていたことが報じられている。

3億2000万円超の〝還流金〟の元手

高い白波を縫うようにして多くのサーファーが波乗りを楽しんでいる。全国有数のサーフポイント、福井県高浜町和田海岸。今から27年前の1994年に10年がかりの総事業費45億円をかけて、福井県が造成した『脇坂公園』の駐車場には、全国各地から訪れたサーファーが車を止めている。

この公園では造成工事をめぐって、少なくとも10件、10億円のカラ工事があったとして地元住民らが県を相手取り約18億円の損害賠償訴訟を福井地裁に起こしたが、請求内容は時効で福井地裁、名古屋高裁とも住民側が敗訴している。

疑惑の脇坂公園造成工事を受注したのは、吉田開発だ。同社の顧問は高浜町元助役の森山栄治氏で実質的オーナーといわれていた。森山氏から関西電力経営陣らへ渡った3億2000万円超の〝還流金〟の元手は、吉田開発が関電や自治体から受注した工事費から捻出されていた。

関電によると、森山氏が顧問をしていた吉田開発、相談役として雇用されていた兵庫県高砂市のメンテナンス会社『柳田産業』の2社は、福井県若狭湾に立地する高浜、美浜、大飯の3原発の工事をそれぞれ約64億7000万円、約149億4000万円の計200億円超で受注（2013年～18年度）していた。

実は、吉田開発が工事を受注していたのは関電だけではなかった。福井県の県政関係者が言う。

「15年ほど前、日本原電の敦賀《つるが》原発3、4号機の建設のため、埋め立て工事が行われました。吉田開発はその工事にも参入していた。埋め立ては完了したものの、福島原発の大事故で建設着手にいたらず今日に至っています。森山氏は福井県の嶺南地域（福井県南部の若狭湾沿岸）全体に睨《にら》みを利かせていたんです」

象徴的な例が福井県で最大の警備会社『アイビックス』（本社・福井市）の存在だ。同社をよく知る福井市民の1人は声を潜める。

「あそこは高浜にある森山さん絡みの警備会社『オーイング』と太いパイプがある会社です。福井県警の天下り先で、そりゃあ怖いもんなしですよ」

実際、大手信用調査会社の調べでは、アイビックスは福井県警と福井県庁などのOB受け入れ先となっている。政治資金報告書によると、アイビックスとオーイングは、自民党の稲田朋美元防衛相に献金。さらに、アイビックスの吉田敏貢社長は稲田氏の後援会長まで務めていた。

吉田社長は森山氏同様、オーイングの大株主の1人でもある。両社とも若狭湾にある原発の警備を請け負っているが、中でもオーイングは原発警備が主力だ。

「今、高浜原発の正面にいるのもオーイングの警備員ですわ」(高浜町住民)

森山氏は晩年、京都市内のマンションに住んでいた。福井県や関電幹部の森山詣での場所になっており、京都市内の高級料亭での会合に出かける際には、もってこいの立地だ。同マンションの部屋は相談役を務め、関電から150億円近くも受注していた柳田産業が不動産会社から借り上げたもの。さらに、森山氏の孫である現東京地検特捜部検事が京都大学の学生時代に同居していたといわれている。

森山元助役のバックと「後見人」とは……

柳田産業は、自民党の世耕弘成・元経産相が代表を務める資金管理団体に2012年～15年に計６００万円を献金していた。原発を所管するのは経済産業省資源エネルギー庁だ。世耕氏が献金を受け取っていた時期は、官房副長官という安倍内閣の要職にあった。そして、２０１６年８月から19年９月まで経産相を務めた。

まさに、原発推進のため政権中枢部に打ち込まれた〝実弾〟といっていい。関電の八木誠会長らの辞任のタイミングは「元資源エネルギー庁次長で当時首相秘書官兼補佐官の今井尚哉《たかや》氏が指示を出した」（永田町関係者）と言われている。

森山氏がバックグラウンドとして威光をかざしたとされる部落解放同盟中央本部は10月７日にコメントを発表した。その趣旨はおおむね次のとおり。

「森山氏自身による私利私欲という問題に部落解放同盟は一切関与していない」「森山氏が解放同盟内で影響力を持っていたのは県連書記長（同時に高浜支部書記長）当時の２年間だけであり、それ以降、高浜町職員として従事し、県連や高浜町支部の運営に関与することはなかった」等々。

世耕弘成

前項で引用した『高浜町同和教育25周年記念誌』によると、高浜支部に所属していた当時の森山氏の活動実績についてはこうある。

高浜支部結成後に行われた第１回町交渉で、当時の浜田倫三町長に「部落問題という重大な課題」を突き付け、同町長は狼狽《ろうばい》。何回かの中央オルグを含めた厳しい交渉の結果、同町長は「積極的な姿勢に転換した」ほど凄《すさ》まじいものだったという。

最後に、森山氏のバックには野中広務元官房長官がいたという噂がある。

「野中氏の側近によれば、森山氏が最初に職員として勤務していた京都府綾部市は旧京都2区で谷垣専一・元文相の地元です。森山氏とは縁がなかったはず」（野中氏と親しかった政治ジャーナリスト）

これが事実だとすると、森山氏の後見人は誰か。

「〝関電中興の祖〟である芦原義重名誉会長の腹心、内藤千百里《ちもり》元副社長です」（芦原氏と懇意だった永田町関係者）

原発マネー還流問題は〝メルトダウン〟するか。

関西電力の「巨悪の根源」を探る

役員報酬カットの密かな補塡も発覚！

「役員報酬の補塡《ほてん》はありえない。従業員やお客様に還元すべきではないか」

「元会長、元社長は懲戒処分（社員ならクビ）にすべき。罰を与えてもらいたい。天下りや退職金もやめて、会社としてそういう姿勢を見せなければ、また同じことが起きると思う」

「給与カットの補塡をしていたのは信じられない。電気料金につながるものであり、もっと重く受け止めて、きちんと謝罪すべき。賃金がカットされていたときには社員は我慢していたのに、役員だけ補塡されていたことに対して怒りを覚える」

「（社内報）関電新聞では、東日本大震災後の経営不振時の減額をこっそり補塡していたことについて記載されていない。隠蔽《いんぺい》体質がかわっていない」

「身を切る改革って言葉はどこにあるの……幹部が『身を切るって』使うな」

関西電力の役員らが、福井県高浜町の森山栄治元助役（故人）から多額の金品を受け取っていた問題を調査していた第三者委員会（委員長・但木《ただき》敬一元検事総長）は2020年3月14日、1987年以降、75人が総額約3億6000万円の金品を受領していたとの報告書を公表した。多額の金品は、森山元助役側への工事発注の見返りで、第三者委員会は「便宜供与」と認定した。

2011年3月11日の東京電力福島第一原発の事故後、関西電力の原発も停止して業績が悪化したことから、役員報酬の一部をカット。その後、電気料金を2年間で2度も値上げしたほか、一般社員の給与を一部カットしたうえ、ボーナスも停止した。

ところが、先の報告書では役員報酬のカット分の補塡が密かに行われていたことが指摘されていたため、関西電力は3月16日に、慌てて役員報酬カット問題について公表を迫られることになったのである。

関電の発表によれば、２０１６年７月から２０１９年10月の間に、退職した役員18人に総額２億６０００万円の補塡をしていた。まさに、関西一円の１０００万人を超えるユーザーへの裏切り行為である。

冒頭の意見は、第三者委員会の報告書と補塡問題が明らかにされたあと、関電が社員を対象に行っているアンケート調査の一部だ。筆者が独自に入手したものだが、森山問題もさることながら、この役員報酬カットの補塡問題に対する社員の怒りは凄まじいものがある。

関電は本当に隠蔽体質を脱却することができるのか。まずは種々の発覚のきっかけとなった原発マネー還流問題を遡《さかのぼ》って検証したい。

組織ぐるみの「隠蔽工作」が続く悪辣さ

発端は２０１８年１月、金沢国税局が『吉田開発』（福井・高浜町）に税務調査に入ったことだ。そのなかで同社顧問の森山元助役に３億円ものカネが流れ、一部が関電役員に渡っていたことが判明。２月20日以降、関電役員への事情聴取も行われた。

　当時の八木誠会長、岩根茂樹社長ら役員６人は１億６０００万円を豊松秀己副社長（原子力事業本部長）に託して森山家へ返却。また、岩根社長は２月22日、コンプライアンス担当の月山将・常務執行役員に「事案を把握し必要な対応を行うよう」指示し、４月からコンプライアンス担当の社外委員の弁護士３人らと相談開始。６月22日、社内調査委員会を立ち上げた。

　社内調査委員会メンバーは役員３人、コンプライアンス担当の社外弁護士３人で委員長は小林敬・元大阪地検検事正。調査範囲は森山関係に絞り、過去7年分とした。８月２日には、金沢国税局に社長の岩根茂樹名義で調査結果報告書を提出し、原子力事業本部長だった豊松副社長ら４人が追加納税している。

関西電力本社ビル

　９月11日、同調査委員会は報告書をまとめ、「金品の受領は不適切だったが、工事の見返りではなかった」と結論づけた。岩根社長は報酬の一部返納（９月25日）にとどめ、取締役会にも報告しなかった。さらに、八木会長と岩根社長は森詳介相談役と協議し、対外的に公表しないことも決めた。そして、９月25日、八木会長、岩根社長、重松副社長に報酬月額部分返上の社内処分を下した。

10月9日、関電本店40階の4004会議室で関電役員20人が秘密保持を前提に研修会を開く。しかし、配布された資料には金品を受け取った者の氏名や金額の記載はなく、説明役の小林委員長に対しても質問や意見は一切出なかった。2020年3月に新社長に就任した森本孝副社長（当時）ですら発言した形跡はない。

監査役は3回にわたり社内出身の役員から報告を聞き、内容を把握したという。10月24日以降は、社外監査役に報告。11月26日、社外監査役は若干の議論をしただけで報告を「おおむね妥当」と追認し、取締役会にも報告しなかった。

翌2019年3月、岩根社長宛てに「電気料金が関電幹部に還流、関与した幹部追放」を求める内部告発文書が届く。岩根社長は八木会長と相談するも「黙殺」することで一致した。

3月20日、森山栄治元助役が死去。4月、内部告発文の「最後通牒《つうちょう》」が岩根社長と監査役に届いたが、これも黙殺された。

6月21日、関電の株主総会が開かれた。重松副社長退任、金品を受け取っていた原子力幹部3人は昇格した。1億円超を受領していた重松前副社長は原子力部門を委嘱業務とするエグゼクティブフェローに就任。月額報酬は490万円（追加納税分の補塡含む）だった。

業を煮やした内部告発文書は、ついに報道機関や市民団体などに届けられ、9月26日、共同通信社がスクープ報道したのである。

意図された〝還流〟の毒の浸透

「共犯関係に持ち込むことを『意図』した『毒』だった」

関西電力の金品受領問題を調査してきた第三者委員会（委員長・但木敬一元検事総長）は2020年3月14日に公表した報告書で、〝贈賄〟の狙いをこう指摘した。

福井県高浜町の森山栄治元助役が1987年以降、30年以上にわたって原子力部門の幹部を中心に役員ら75人に対し、総額約3億6000万円相当の金品を提供していた関電原発マネー還流問題。森山氏の目的については「金品提供の見返りとして森山氏の関係する企業への工事発注を行わせ、関係企業から森山氏が経済的利益を得るという構造、仕組みを維持すること」だった。

同日記者会見した但木委員長は「関電は被害者ではない」と断言した。森山氏からの工事要求はどんな内容だったのか、報告書からその一部を紹介する。

《先生（森山氏）から電話があり、いつもながらの工事要求。『明後日会う時に、いい話（工事）を持ってこい。びっくりするような』》

これは2012年4月22日、森山氏が顧問を務めていた吉田開発（高浜町）への工事発注をめぐるやりとりだ。高浜原子力発電所の長谷泰行所長（当時）が関電副社長の豊松秀己・原子力事業本部長（同）らに送ったメールの一部である。長谷氏は2日後の4月24日に森山氏と面談し会食。翌25日、豊松氏らにメールで結果報告した。

《工事4000万円を提案し、了解。この程度か、との感触を示されたが、とりあえず今回はこの程度にしておいてやる、とのこと。2011年末、吉田開発への工事要求があり、4000万を提示して凌《しの》いでいたが、2012年に入り、さらなる要求が繰り返され、今日に至ったもの。今年合計8000万円出す。これが精一杯とのニュアンスを伝えた。その後、全員での会食になり、（森山氏は）至極ご機嫌》

関電から吉田開発への発注は2002年度～2014年度は最低1100万円、最高7800万円だった。しかし、2015年度から1億円を突破し、2017年度は約2億5000万円にも及んだ。

森山氏が相談役を務めるメンテナンス会社『柳田産業』（兵庫県高砂市）への直接発注は2005年度以降、計約25億～55億円。うち競争入札ではない「特命発注」は99％を占めた。

柳田産業に対しては、遅くとも2003年頃から年間発注額を事前に約束していた。しかも、発注予定額には「ノルマ」が課せられていた。2014年6月頃、高浜原子力発電所所長の長谷氏が作成した森山氏に関する引き継ぎ資料には、こう記載されていた。

《〈先生関係〉○全体─略─屈服させる、自分に従うとわかるまで指導。○○に言うぞ等が常で、上げ奉れば喜びわかりやすい。中途半端な対応が一番危険。人を信じない。猜疑心旺盛─略─花見・中元・お歳暮・人権研修・旅行等、定期行事あり。高額な先生からのお土産は同罪化のつもりか。○柳田産業　年間ノルマをこなす。定期がないので、なかなか工事がない。何かの理由を付け、わしのお陰だと追加を要求。成功時、年1億工事追加。本部長の会食に出席すれば、わしが会わせてやった等。先生からの圧力か、柳田が提案を度々出してくる》

約9000万円という「森山氏接待費」が意味するもの

報告書によれば、関電役員らが森山氏の要求に応じて、事前に工事発注を約束したり、情報を提供していたのは2000年代から120件以上あった。

《原子力安全システムの、これ（中略）子会社みたいなもんやけど、これお前ら、どこまで話をしてくれとんのや。大林（組）がな、なかなか、お前、降りんらしいやないか》

《大林は何もそんなとこまで乗り込んでこんでええやないかい、今頃。前から、ずっと話ができてんのに》

これは森山氏が関電発注工事をめぐり関電幹部を恫喝《どうかつ》した音声記録の一部である。共同通信社が「関電、熊谷組受注に便宜」と題し、2020年1月7日付で報道した。

音声は、1996年7月4日頃、および同年8月8日頃に録音されたものである。原子力安全システム研究所の新築工事をめぐり、関電は1996年7月31日、熊谷組や大林組など7社に競争発注手続きをすることを決定。同年8月2日、関電は7社に工事見積書の提出を求めた。音声は見積手続決定前及び見積提出後に録音されたものだ。結果、同年9月25日、熊谷組が大林組より2500万円低い見積金額で工事を受注した。

報告書では、関電側が熊谷組に便宜を図ったと認めるに足りる証拠は発見できなかったとしたが、そもそも、森山氏からの不正な要求を拒絶しなかったこと自体、森山氏と関電との不適切な関係を如実に物語る事例と指摘した。

報告書によれば、関電幹部らによる森山氏との交際費は2009年~2017年度までの8年間で計421回、8952万円に上った。言うまでもなく、原資は電気料金である。3億6000万円の金品受領はこの会食の場で行われていた。

但木委員長は記者会見で「刑事告発は無理」とした。

関電OBの1人は第三者委員会の報告書についてこう語る。

「関電の隠蔽体質が明るみに出た。しかし、刑事告発なし、金品を受領した幹部や関係業者の証人喚問なし、不正当時からいた役員の処分、追放なし、では関電が生まれ変わることができるのか大いに疑問だ」

だが、関電の弱みを握ったモンスター・森山栄治氏を生み出した背景とは、いったいどんなものだったのだろうか。

〝関西電力のモンスター〟を作り出した「同和問題研修会」

「先生」

第三者委員会報告書では、関西電力役職員が福井・高浜町の森山栄治元助役を内部資料やヒヤリングからこう呼んでいることを指摘した。なぜ、森山元助役が「先生」と呼ばれていたのか。その理由について同報告書は、関電役職員対象の森山元助役を講師にした「人権研修」が定期的に行われていたことを挙げている。

きっかけとなったのは、1987年末。高浜原発の従業員間でいわゆる同和地区出身者を理由とした差別事件が発生した。翌1988年初頭にも関電の協力会社の従業員が差別発言したとして、部落解放同盟高浜支部が問題にしたことからだった。

1988年以降、関電は主に原子力発電関連の要職に就いている関電の役職員を対象に、人権研修を開催することになった。

1988年4月、第1回目の人権研修である『同和問題懇親会』、翌年2月、人権に関する学習会が実施された。同年8月には、法務省福井法務局も参加した同和研修会の開催を森山元助役が関電側に要請。同月、第2回目の人権研修会である『同和問題研修会』が開かれた。以降、関電は年1回、「幹部人権研修」を行い、森山元助役は2017年まで講師を務めている。開催場所は、主として福井県内の関電施設や公共施設だった。2016年度の研修は大阪市北区中之島の関電本社で開かれている。

人権研修には、関電の取締役や原子力事業本部長、執行委員をはじめとする重役が顔をそろえた。そして、副知事など福井県や高浜町の要職が来賓、または講師として出席し、最後に森山元助役が総括を行うことが決まっていた。

「人権研修の打ち上げの宴会は、石川県の山代温泉にある有名ホテルで行われるのが恒例だった」(関西電力OB)

その人権研修こそが、《関西電力はモンスターと言われるような人物を作り出してしまった》(第三者委員会報告書)背景の大きな要因になったのだ。同報告書はこう指摘している。

《人権研修が、関西電力において、森山氏の『先生』としての地位を関西電力役職員に広く知らしめ、かつ、根付かせることとなった一面があることは否定できない。特に、人権研修は、森山氏にとって、関西電力の役職員に対し、森山氏が副知事等の県の要職にある人物を招聘《しょうへい》することができるだけの影響力を持っていることを見せつける絶好の機会となった。さらに、森山氏は人権研修の機会に、関西電力の高位の役職員を出席者の面前で罵倒・叱責することもあった。こうしたことによって、森山氏の関与する人権研修は、関西電力役職員の間で、森山氏に対する畏怖の念を醸成する一因となっていた》

それにしても、森山元助役はなぜ、こうも関電に同和問題で絶対的ともいえる影響力を持つことができたのか。それは「泣く子も黙る」と言われるほど熾烈《しれつ》を極めた差別糾弾闘争を全国各地で繰り広げた部落解放同盟の役職に就いていたからである。

人々が分断された「物言えぬ暗黒の町」へ

森山元助役は１９６９年2月1日に結成された部落解放同盟高浜支部・部落解放同盟福井県連の書記長に就任。支部結成直後の第1回交渉で、当時の浜田倫三町長を糾弾し屈服させたあとの同年12月、京都府綾部市職員から高浜町職員に転職。１９７１年から２０１８年3月まで47年間にわたって福井県客員人権研究員を務めた。

関電高浜3号機（１９８５年1月、営業運転開始）、4号機（同年6月）の設置のための地元対策や公有水面埋め立てをはじめ、さまざまなトラブルで関電に対する最大の貢献者となった。

一方で高浜原発1号機（１９７４年11月、営業運転開始）、高浜原発2号機（１９７５年11月、営業運転開始、のちに3、4号機も設置）の立地対象となった高浜町・内浦地区（旧内浦

高浜原子力発電所

村）は「1960年代から今日まで一貫して原発に反対してきた」（渡辺孝・高浜町議）という。

そんな「原発の町」に現れ、出世した森山元助役が捏造した女性教師差別発言問題。森山氏自ら小学校に乗り込んで糾弾活動を行うなど、高浜町は「物言えぬ暗黒の町」にもなり、町民は分断された。

関電原発マネー還流問題で部落解放同盟中央本部は2019年10月7日、コメントを発表した。

《森山氏自身による私利私欲という問題に部落解放同盟は一切関与していない》

《森山氏が部落解放同盟内で影響力を持っていたのは県連書記長（同時に高浜支部書記長）当時であり、それ以降、高浜町職員とし

て従事し、県連や高浜町支部の運営に関与することはなかった》

しかし、部落解放同盟の機関誌『解放新聞』（２００１年９月10日号）によると、２００１年８月11日に行われた部落解放同盟福井県連と福井県の行政交渉の際、森山元助役は同県連顧問の肩書で参加していることが報じられている。

部落解放同盟との関係は連綿と続いていた印象を拭えない。これこそ、森山元助役が「モンスター」になりえた謎を解く重大なカギになるのではないか。

第三章　古都京都の闇社会

王将社長射殺事件「新事実」

いまだ「動機」不明なままの事件の謎

今から8年前の2013年夏のことだった。九州在住の実業家はそれこそ、我が身を滅ぼすある動きを察知した。それは自らの悪行を世間にさらされ、「反社会的勢力」の烙印《らくいん》を押される情報だった――。

仮に、この実業家をX氏としておく。X氏は思案の末、知己の間柄である九州の暴力団幹部に相談を持ちかけた。それから4カ月後には、X氏の命取りとなる2013年11月13日付の調査報告書がまとめられた。

東証1部上場企業『王将フードサービス』(京都市山科区)の役職員で構成された特別再発防止委員会がまとめた、いわゆる「(平成)25年報告書」と呼ばれるものだ。内容は、1995年頃から2005年頃までの10年間に、先のX氏のグループ企業との間で貸し付けや不動産取引など計14件、総額260億円もの不適切な取引を行っていた。そのうち約170億円が回収できず、損失処理していた事実が書き連ねられていた。

同報告書は巨額不正取引を主導したのは、１９９４年６月に創業者・加藤朝雄氏の長男・加藤潔氏が３代目社長に就任したのと同時に、経理部長を兼任する代表取締役専務になった次男の加藤欣吾氏と断定している。しかし、「25年報告書」は取締役メンバーと特別再発防止委員会メンバー以外には非公開とされており、王将社内には社長と総務部のみが各１部ずつ保存していただけだった。その存在が公になったのは、３年後の２０１６年３月29日の王将「第三者委員会」（委員長・大仲土和弁護士）による報告書が出てからである。

冒頭の九州の実業家Ｘ氏が２０１３年夏に察知したというのは、この「25年報告書」作成のための内部調査が「王将で始まった」という情報である。そして、同報告書がまとまった１カ月後の２０１３年12月19日早朝、大東《おおひがし》隆行社長（当時72）が何者かに射殺される事件が起きたのだ。

大東隆行社長

京都府警にとってはまさに衝撃的な事件だった。事件発生翌日には事件の相関図を作成。それはこれまでの報道資料などを基にした代物だが、「カネ絡みだろうとは推測できたが、なんでいまさら……」と動機は、事件から８年経ったいまでも解明できていない。王将社長射殺事件の原点となりうる記事を20年前から書いてきた筆者にしても「動機」はわからないままだった。

見届け役までいた犯人たちの「足取り」を追う

前置きが多少長くなったが、犯人たちの足取りを追うことで、今回はその動機に迫ってみた。

筆者のこれまでの取材では、九州の同じ組織の2つの暴力団が関与している。時系列を追っていくと、王将本社の駐車場で大東社長を射殺した男が現場から逃走に利用したホンダのスーパーカブが京都府城陽市内で盗まれたのは、事件2カ月前の2013年10月8日夜から同9日早朝にかけて。この盗難バイクが山科区内で発見されたのは、翌年4月。拳銃を使った際に残る硝煙反応がハンドルから検出されたことから京都府警は、大東社長を射殺したあと、逃走用に使ったと断定している。

そして、事件から2年を迎えた2015年12月、メディアは『犯行現場近くで発見されたタバコの吸い殻から検出したDNA型と九州を拠点とする暴力団幹部組員のDNA型が一致した』と一斉に報じた。このDNAの暴力団幹部こそ、2013年夏、王将の反社会的勢力排除の動きを察知したX氏が相談を持ちかけた暴力団組長も所属する組幹部だった。

この暴力団幹部が事件を主導し、事件現場でいわゆる見届け役をしていた疑いが初めて浮上したのである。実は、事件前後にこんな動きがあった。件《くだん》のDNAの男は事件直前、もう1人の組員を同行して北九州にある北九州空港でジェットスター機（当時）に搭乗。事件数日後、やはりジェットスター機でＤＮＡの男は、福岡空港に降り立っている。

この時期、九州ナンバーの軽乗用車が京都から福岡に向かい、福岡空港に駐車していたことがＮシステムで判明している。硝煙反応が出た盗難バイクをめぐって２人の男と共に防犯カメラに映っていた軽乗用車だ。京都府警はこの軽乗用車を回収したが、社内から複数のＤＮＡが検出された。当時の車の所有者はＤＮＡの男の知人女性だった。

さらにもう1つ、事件前、滋賀県大津市内のマンションに複数の暴力団員が出入りしはじめ、年明けに退去している。

王将本社がある京都市山科区までわずか8キロメートルの距離だ。捜査関係者は大東社長を射殺した暴力団員らのアジトとみている。

京都府警は２０１５年10月に殺人容疑で王将創業者関係者宅まで家宅捜索しているという。

大手紙社会部記者は、事件発生から２０２０年12月19日で丸7年を迎えた事件についてこう振り返る。

「事件発生から1年半で、この事件はもう終わりだと感じた。というのも、王将本社にガサ入れしなかったからですよ。たぶん証拠となる物も処分されたと思います。それと犯人の狙いは、王将に対する見せしめで、大東社長がその犠牲になったわけです。何も殺すことはなかった。捜査本部はカネ絡みで大東社長とＸ氏の関係に拘泥《こうでい》しすぎたのではないか」

実は2019年秋、捜査本部は勝負に出ようとしたが、「最高検察庁がストップをかけた」という話もある。いま現在、捜査状況に動きはない。このまま、事件は、迷宮入りとなるのか。

裏千家〝裏〟にあった闇利権

脅迫めいた電話からの不可解な発端

「うちも探偵を持っているので調べさせてもらう」

こんな脅迫めいた電話が筆者のところへかかってきたのは2019年3月6日夕方5時頃。電話をかけてきた人物は「月刊K」を名乗り、「『週刊文春』に『平安女学院』のX先生が（裏千家が出す）許状料を学生に対して（裏千家会員の）半額にしていると書いていることについて、平安女学院に代わって答えたい」と一方的に切り出した。

筆者は前日の5日午後、京都市上京区の『平安女学院大学』を訪ね、同大学伝統文化研究センター所長のX氏の所在と先の『週刊文春』（2018年6月21日号）に記載された裏千家の許状を半額で学生に発行していることについて見解を聞いたところ、「事前にアポを取ってほしい」と言われた。

翌6日、改めて電話を入れたが、同大学広報は「担当者が席をはずしている。連絡先を教えてほしい。あとで連絡する」と返答があった。その返電を待っていると、同大学ではなく冒頭のような電話がかかってきたのだ。

筆者は「月刊K」を名乗る人物に名前を問い質《ただ》したが、答えなかった。また、平安女学院大学の関係者でないことから「(月刊Kの話に)答える必要はありません」と応答したところ、「いや関係がある。お宅は『週刊実話』の記者か。うちは探偵を持っているので調べさせてもらう」と言い放ち、一方的に電話を切ったのだ。

なんとも不可解な電話だ。筆者が取材していたX氏とはいったい何者か、以下、説明していきたい。

〈裏千家の〝大番頭〟「ワイロ授受」写真、警察も重大関心の集金手口とは――〉のタイトルでX氏のことが『週刊文春』に掲載されたのは、先に書いたとおり2018年6月21日号。茶道諸流派のなかでも最大の会員数(約10万人)と知名度を誇る裏千家(京都市上京区)で、組織を私物化し、私腹を肥やしている人物と書かれたのが、当時、事務方トップの事務総長だったX氏だ。

『週刊文春』の報道後、X氏は裏千家を辞めたが、「いまなお子飼いの事務方幹部を通じて裏千家に多大な影響力を行使している」という情報を筆者が入手したことから、今回の取材に至ったわけだ。

暗躍する裏千家の〝裏フィクサー〟

X氏について京都の茶道関係者はこう言う。

「Xさんは大学卒業後、自民党の国会議員秘書を経て、1970年代初頭に先代（15代家元、千玄室大宗匠）のときに裏千家入り。2018年6月末に辞めるまで50年近く在籍している。25年前、専務理事に就任してから自分の気に入らない職員や地方の役職員を排除し始め、6年ほど前に事務総長に就任しました。家元も組織運営はXさんに任せっきり。だから、なにごとも自分の考えが家元の意向であるかのように振る舞い、決済印を勝手に使うなどやりたい放題してきました」

別の京都の政界関係者が続ける。

「政治家のパーティー券を裏千家が大量に買い取ることは周知の事実で、Xさんはその政界の窓口でもありました。京都政財界から茶道や華道などの伝統文化まで家元が表の顔なら、Xさんは裏のフィクサー的な人物ですわ」

X氏が裏千家退職に追い込まれた『週刊文春』の記事では、次のように同氏の金銭問題を浮き彫りにしている。

挨拶料が規定されていない最上位の「教授」「正教授」「名誉師範」３つの資格取得に関わる家元への挨拶料（40万円から１００万円以上）と同等の金額を、X氏が推薦する〝お包み〟（ワイロ）として支払うよう要求。さらに、２０１６年、三越伊勢丹・日本橋三越本店で茶道具の企画展示が行われた際、掛け軸など茶道具の出品料について、三越サイドに不可解な振り込み先を指定したり、出品した茶道具が返還されたのち、行方知れずになったという。

京都府警も重大な関心を寄せているとも伝えている。この疑惑を筆者が改めて取材すると、三越が裏千家に支払ったのは２８０万円だが、後日、X氏が三越側に送った「裏千家家元」名の領収書の金額は２１２万円で約70万円の差があった。それも「寄付金として」との但し書きがついていた。振り込み先の口座を調べた捜査関係者は「（裏千家のカネの出入りは）二重帳簿になっているのでは」との疑念を抱いていたほど。

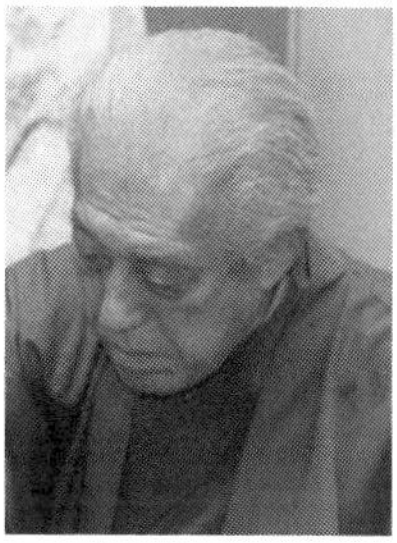
千玄室大宗匠

そして、冒頭の平安女学院大学の学生に対する許状料優遇だ。

『週刊文春』に対して、X氏は〝お包み〟は、《会計事務所を通じて税務申告している》、平安女学院大学の許状料優遇についても《今日庵（裏千家の別称）の定めた通り運用している》、三越の出品料については《寄付として今日庵名義の口座に入金》し、返還された茶道具については《裏千家で保管している》と回答している。

　このうち入金口座は「今日庵」ではなく、「桐蔭会」と呼ばれる経済人や数奇者の集まりの「口座」で、同会担当者は裏千家執事を務める人物であり同人名義になっていたことが筆者の取材で判明している。

　一連の事実関係について、裏千家に取材を申し入れたが「対応していない」と事実上の拒否。平安女学院大学は「月刊K」と名乗る人物が連絡してくる有り様。

　X氏は自宅、茶室など京都伏見区にテラスハウス（2階建て集合住宅）3棟を所有。どれも5LDKで専有面積は120平方メートル以上。現在、連棟のテラスハウスが約3200万円で売りに出されていることから推定すると、総額1億円は下らない物件だ。加えて複数の高級外国車を所有しており、莫大《ばくだい》な資産を築いている。

京都駅北側跡地の再開発の闇

土地所有者の変転が続く不可思議

大手サラ金業者『武富士』（当時）が地上げしたものの、バブル崩壊で開発が頓挫。20年以上にわたって塩漬けになっていたJR京都駅北側の約3300坪の跡地に2軒目のホテルが建設されることになった。

2019年3月5日に開かれた地元住民向け説明会で現在の土地所有者である不動産業者『安朱富』（京都市下京区）側が明らかにしたもので、敷地面積約634坪に地下1階、地上10階、部屋数387室のホテルを造るという。工事期間は2019年6月上旬から2020年12月下旬までを予定。

武富士の地上げ跡地は駐車場と空き地になっていた。しかし、世は空前のインバウンドブーム。京都駅前の広大な一等地であるため、各方面から垂涎《すいぜん》の的になってきた経緯がある。

そんななか、土地所有者が変転し、一時は土地が朝鮮総連系の金融機関の担保物件になったこともあって、よりいっそういわく付きの土地になっていた。そして2017年夏、アメリカの金融機関『プルデンシャル・ファイナンシャルグループ』を中心とする『ウィンチェスター特定目的会社』（本社・東京）、いわゆるファンドが所有者『コメット有限会社』（安朱富株式会社の前身会社）から737坪を買収、凍結されていた広大な土地開発が動き出したのだ。

この土地については一部週刊誌が買収価格「110億円」と報道。2017年11月には、500室の大型ホテル建設が発表された。現在、寮やホテル事業を行っている『共立メンテナンス』（東京）が全国展開しているホテル『ドーミーイン』の建設工事が進められている。

今回2軒目となるホテルの敷地は約634坪。土地登記簿謄本によると、そのうちの約132坪は旧武富士の所有地（約3000坪）が含まれている。すでに建設中のホテル『ドーミーイン』の敷地と合わせると約869坪の事業化の見通しが立ったことになる。しかし、残り2400坪の広大な土地はそのままだ。

現在、駐車場として使われている同土地の所有者は安朱富だが、先の説明会で安朱富の代理人は「場所柄、今後はホテルとか商業施設を造ることになると思うが、まだ未定だ」と説明した。

地上げ裏で起きた数々の事件の因縁

なぜ、残り2400坪の土地計画が未定なのか。京都では「オーバーツーリズム」（観光客の飽和状態）が社会問題化している。相次いでホテルが開業、または建設中だというのに、誰しもが不可解に思うことだ。

その謎を解くべく土地登記簿謄本を調べていくと、ある事実にぶつかった。

大阪の信用組合が土地に極度額20億4000万円の根抵当権を設定しているのだ。債務者は安朱富の前身会社『コメット有限会社』である。

土地開発が動き出した京都駅北側跡地（写真は北東側）

真相を突き止めるため、ホテル計画説明会の看板に記された安朱富の連絡先に電話すると、応対した事務員は「私どもとはまったく関係ありません」と返答し、連絡先の安朱富であることを否定。別の会社名を名乗った。その別の会社名の会社登記簿謄本をあげると、代表者は同じ。なんとも理解しがたい状況なのだ。

新しくホテルが建設される場所にはプレハブ小屋があり、安朱富の表札が掲げてある。しかし、無人だ。駐車場利用客も「いつも誰もいませんわ」と言うのだ。先の説明会で安朱富の代理人はプレハブ小屋である同社事務所を「新しいホテルができたら、その中に事務所を置くようにする」と語っていた。

京都の不動産業者の話。

「安朱富の代表者Fさんは、京都では腕利きの地上げ業者として知られています。今回の3300坪のいわゆる〝材木町物件〟も、早くから〝Fさんにしかできない〟と言われていました。事実、武富士が地上げした土地すべてがFさんの会社の所有地になり、小刻みにホテルが建設されていっている状況です。インバウンドの受け皿として、京都市は市長さんを先頭にホテル誘致に血道を上げている。そのなかで残された広大な土地は〝これからどうなるのか〟と不動産業界やホテル業界の関心の的になっていますわ」

通称・材木町物件と呼ばれる冒頭で述べた約3300坪の土地は、武富士が地元の団体『崇《すう》仁《じん》協議会』と契約し、同協議会が地上げの実動部隊になってきた。ところが、地上げは予定通り完成せず、未解決事件を含め、暴力団組員による複数の射殺事件、右翼・暴力団員による街宣&襲撃事件が起きるなど、因縁の土地と化したのだ。

揚げ句、崇仁協議会のトップ（当時、1993年）は覚醒《かくせい》剤使用等、さらに武富士から地上げ資金3億5000万円を騙《だま》し取ったとして詐欺罪で逮捕・起訴され、懲役6年の実刑判決が確定し収監された。

崇仁協議会は四分五裂。その後、地上げ跡地は駐車場や空き地となり、所有者も変転する。そこへ正体不明の会社が所有者となり、大手メガバンク、さらには朝鮮総連系の信用組合が土地を担保に融資するなど不透明な経過をたどってきた。

最終的な土地所有者になったのが、今回のホテル計画の事業主である安朱富である。その安朱富の所在地が無人のプレハブ小屋で、看板に記載された連絡先には「まったく関係ない」と言われてしまう……。

材木町一帯は「崇仁地区」（約8万坪）の一角を占めるが、住居や店舗が密集したかつての面影は消え去っている。それこそ錬金術の町に変わり果てたと思うのは筆者だけではあるまい。

京都市が推進する〝まちこわし〟

建設ラッシュ下に広がる観光公害《オーバーツーリズム》

世界有数の観光都市・京都で、いままでには考えられなかったような「まちこわし」が進行している。インバウンド目当てのホテルや民泊施設がところかまわず建設され、「オーバーツーリズム」（観光公害）が広がり、市民の生活環境が急速に悪化しているのだ。

２０１９年11月25日、京都市は「『市民生活との調和を最重要視した持続可能な観光都市』の実現に向けた基本指針と具体的方策について」を発表した。

門川大作

これに先立つ11月20日の記者会見で門川大作市長は「宿泊施設は満たされている。今後は、市民の安心・安全と地域文化の継承を重要視しない宿泊施設の参入をお断りしたい」と宣言せざるを得なくなったほどだ。しかし、先の京都市の方針では宿泊施設の立地規制や観光バスの流入規制など、具体的規制には一切踏み込んでいない。

逆に、これまでの「宿泊施設拡充・誘致方針」に加えて、世界遺産や重要景観を破壊する『上質宿泊施設誘致制度』を推進するなど、それこそ京都市主導の「まちこわし」が進行しているのだ。

例えば、小倉百人一首にもうたわれた景観を持つ世界文化遺産『仁和寺《にんなじ》』（京都市右京区）門前のホテル建設計画がその一つ。土地は同寺南側、重要文化財の二（仁）王門前の道路「きぬかけの路」を挟んだ民有地約３９００平方メートルだ。

ホテルなどを全国展開している『共立メンテナンス』（東京都）は、地下1階、地上3階、高さ約10メートルの建物が4棟並ぶ客室数72室の高級ホテル建設（２０２１年8月開業）を予定している。総延べ床面積は約５８００平方メートルにも及ぶ。

土地の大半は宿泊施設であれば、延べ床面積３０００平方メートル以下のものしか建設できない第1種住居地域。しかも、世界遺産を保護するための「バッファゾーン」（緩衝地帯）にある。

２０１５年には、コンビニやガソリンスタンドの建設計画が持ち上がったが、仁和寺を含む門前町の猛反対で、撤退したいわくつきの土地でもある。それがなぜ、一転して周辺の景観や住環境を破壊するホテル建設計画になったのか。

地元住民でつくる『世界文化遺産仁和寺の環境を考える会』共同代表の山根久之助・高知県立大学名誉教授はその背景についてこう説明する。

「京都市は、２００７年9月からスタートさせた建物の高さやデザイン、屋外広告物の規制などを定めた『新景観政策』を骨抜きにする『上質宿泊施設誘致制度』を２０１７年5月から導入しました。この制度は、仁和寺周辺がそうであるように、風致地区、特別修景地域、歴史遺産型第1種地域など厳しい規制がかかった地域でも、建築基準特例措置を適用して、規制を緩和するというもの。仁和寺の門前ホテルをその第1号にしようという狙いがあるからです。ここで建設を許せば、京都市内各地で同様のことが起きる可能性があるのです」

山根久之助共同代表

同制度導入の目的について京都市に聞くと、こんな答えが返ってきた。

「建築基準法で規制のかかった地域でも、進出できるようサポート

する制度です」（京都市産業観光局観光ＭＩＣＥ推進室）
意外にも、露骨な利益誘導型制度であることを平然と言い放ったのだ。

ホテル建設ありきの京都市の無定見ぶり

２０１９年９月19日、『世界文化遺産仁和寺の環境を考える会』は、京都市に『『上質宿泊施設誘致制度』の特例措置を適用しないで、世界文化遺産バッファゾーンの景観・住環境を守って下さい』との要望書を提出した。ＭＩＣＥ推進室、都市計画局の担当者が対応したが、次のようなとんでもない回答を寄こしたという。

まず、「新景観政策の規制の範囲内で建築物を」の質問に対してはこうだ。

『基準を守ってさえいれば、良いものになるとは限らない』

『条例どおり、外観や延べ床３０００平方メートルを守った建築物なら、仮にカプセルホテルのような悪質なものになっても、今の条例では規制できない』

さらに、「事業者は儲からなくなったら撤退する可能性もあるのでは？」との疑問には、

『計画は資産価値のある土地を、資金力のある健全経営の事業所が活用するので将来的にも安心』

極めつきは、５年間を限度とする制度ということから「建てられたホテルのその後のチェッ

クは？」との問いには『制度がなくなっても京都市はなくならないので』と開き直りというか、終始、ホテル建設ありきの説明だったという。

実は、仁和寺門前のホテル建設は、京都市がお膳立てした疑いが浮上しているのだ。『世界文化遺産仁和寺の環境を考える会』の調査によると、事業主の共立メンテナンスが、土地の債権者として登場したのは2016年12月。京都市は2カ月前の同年10月、「宿泊施設拡充・誘致方針」を策定し、「上質宿泊施設」を特例で認めることを掲げた。そして、前述したように翌年の2017年5月に同制度が創設されているのだ。

きぬかけの路は、2車線の狭い道路で、ひっきりなしに車が走っている。観光客も冷や冷や顔で道路を渡り、二王門の階段を上っている。数カ月前には、同道路で交通事故が起き、人が亡くなったという。

重要文化財である二王門の左右の金剛力士像、吽形《うんぎょう》と阿形《あぎょう》が、京都市の「まちこわし」に怒っているように見えるのは、筆者だけではあるまい。

ホテル誘致に突っ走り避難所は地下へ

観光公害（オーバーツーリズム）なんのその、ひたすらホテル誘致に突っ走る京都市の暴走は、統廃合で閉校になった小学校跡地にも及び、地域住民の安心・安全を脅かすまでになっている。

「えぇっ！　公園の地下に体育館造って避難所にするって？　そんなバカな」

地元住民がこう言って怒った「公園の地下に体育館」という誰もがビックリ仰天の計画が持ち上がったのは、京都市下京区の植柳《しょくりゅう》小学校跡地のホテル建設をめぐってだ。

同小学校跡地は、ＪＲ京都駅から徒歩約10分のところにある。一帯は旅行客でごった返す京都駅前の喧騒《けんそう》とは別世界の木造家屋が密集したレトロな佇《たたず》まいを見せる西本願寺の寺内町だ。

同小学校は２０１０年3月に閉校になった。校舎やグラウンド、体育館はそのままで、運動会や祭り、餅つき大会、テニス、グランドゴルフ、ペタンク（フランス発祥の球技）など、地域の自治活動や災害避難場所の拠点になってきた。

それが一転してホテル誘致話になったのは２０１８年2月、地元の植柳自治連合会が門川大作・京都市長に次のような趣旨の要望書を提出してからだ。

《元植柳小学校は東西の本願寺に挟まれ、京都駅に近い立地にあるところから、国内外の文化交流とまちの賑わいが生まれる施設として整備してほしい》

市は待ってましたとばかりに、「植柳自治連合会から要望があった」として、同年3月、「活用事業者を選定するプロポーザル実施に向けた募集要項」作成に着手。同年6月から大学教授など6人で構成される選定委員会が作業を始め、２０１９年2月、応募のあった3社から、タ

旧植柳小学校

イのラグジュアリーホテル『デュシタニ』の誘致を掲げた安田不動産（本社・東京）を契約候補者として選んだ。

60年間の賃貸契約だが、その事業概要はとんでもないものだった。小学校跡地にかわって、隣接する植松児童公園に指定避難所としての地下体育館を建設するというのだ。

地元住民は「まるで防空壕や。地下を避難場所にしたら、災害時に周りの状況がわからず逃げられない」と猛反発。同年10月に京都市と同社は、地元住民の理解を得るためホテル真横に避難所を兼ねた屋内運動場を建設する修正案を事前協議の場で地元自治連合会に提示。ところが、これがまたとんでもない計画だった。

『植柳校跡地問題を考える会』世話人の大屋峻さんは、ホテル誘致計画の経過を振り返りながらこう語る。

「タイのホテルが来るという話は、2年ほど前からあった。もともと、小学校は地域の教育と安心・安全の拠点。それをホテルにしてしまうという考えが、土台間違っている。植柳小学校は明治2年、町衆の寄進で開校した番組（町組）小学校の1つで150年の歴史を持つ。今回、京都市がお膳立てしたことがミエミエのホテル建設計画になった。当初案の公園に地下体育館は、さすがに『いったい、なに考えてるんや』と驚いたが、修正案にも大きな問題がある」

学校跡地を経営資源としか考えない京都市

大屋さんは同修正案の問題点をこう指摘する。

「水害時の京都市のハザードマップでは、最大3メートルが浸水予想水位とされている。屋内運動場の場合、床の高さも安全なのは地上3メートル。ところが、京都市は『京都府の水害ハザードマップは2メートル。3メートルにしなくていい』と言い始めた。それを根拠に、安田不動産は修正案で避難場所として使う屋内運動場の床の高さを1メートル下げ、地上2メートルにした。結果、消防団の詰め所と地域活動倉庫は、地上より1メートル下げた半地下。強い雨が降れば簡単に浸水してしまう」

さらに、大屋さんはこう続ける。

「京都府のデータは水害のハザードマップではなく、鴨川だけのデータだった。水害は鴨川や桂川、中小河川の氾濫、さらには下水道からも逆流する内水氾濫まで想定しなければ意味がない。京都市は、わざわざ都合のいい京都府のデータを使って住民を騙している。住民の安全より、ホテル優先。選定委員会を通していない修正案は撤回し、やり直すべきだ」

京都市行財政局資産活用推進室は筆者の質問に「全体として修正案は前向きに取られている。修正案をベースに地元自治会とも協議している」と、にべもない。

実は、小学校跡地のホテル建設はほかでも問題になっていた。

例えば、東山区の清水《きよみず》小学校跡地だ。NTT都市開発（東京都）が建設し、プリンスホテル（同）が運営する高級ホテル。2020年3月の開業予定に向け、着々と工事が進んでいる。

「清水小も明治2年に開校した番組小学校の1つ。市は『地元自治会活動の拠点として最大限配慮する』と説明してきたが、いざフタを開けてみると敷地面積のほぼ100％がホテル。学校跡地のホテル誘致は、オーバーツーリズムの象徴的例です。京都市は経営資源としか考えていない。それも東京資本や外資がどんどん入ってきて、地価が上がり、従来の住民が逃げ出すようになった。それこそ、京都こわしですわ」（地元住民）

資産活用推進室の話。

「民間活用するホテル建設中の学校跡地は、清水小学校を含めて3つ。まだ契約が済んでいない植柳小など12校の跡地が対象。条件を満たせば、宿泊施設でもなんでも活用促進です」

京都市の「まちこわし」は止まらない。

風致地区にも及ぶ〝京都まちこわし〟

「絶景」をこわしかねないものにも建築許可

「絶景かな、絶景かな。春の宵は値千両とは、小せえ、小せえ。この五右衛門の目からは値万両、万々両……」

安土桃山時代の伝説の大泥棒・石川五右衛門が煙管《きせる》片手にこう名科白《せりふ》を回したとされるのが、京都・東山の南禅寺三門。その南禅寺の参道にあたる『仁王門通』横で、それこそ「絶景」をこわしかねない高級ホテルが建設中（２０２１年11月竣工予定）なのだ。

料亭『南禅寺ぎんもんど』跡地の２９７０平方メートル（約９００坪）で地上４階、地下１階、高さ14メートルを超えるホテルの事業主は、東京の不動産会社『ヒューリック』（東京・中央区）。周辺は、東側が細い道を挟んで明治、大正の元老・山縣有朋の別邸である『無鄰菴《むりんあん》』、南側が塀を挟んで創業４００年の料亭『瓢亭《ひょうてい》』。一帯は開発に厳しい規制がかかっている京都市風致地区だ。

７代目小川治兵衛が作庭し、文化財保護法による国の名勝に指定されている無鄰菴は、この地域の核となる文化遺産でもある。周囲を歩くと、民家や低層マンションに「南禅寺風致地区の環境を壊すホテル建設反対」の幟《のぼり》が立っている。

『南禅寺・岡崎地区の景観と住環境を守る会』の東村美紀子共同代表が言う。

「一帯は、南禅寺界隈別荘庭園群です。当初、琵琶湖疏水の水を使って工業地になる予定だったこの地は、明治31年、景観の素晴らしさに初代京都市長の内貴《ないき》甚三郎が『東方は風致保存の必要あり』と、山縣有朋の別荘として誘致した場所です。この地域にある建物は空間をきちんと取って、景観に配慮するなど街の風情を大切にしてきました。瓢亭から南側の土地は計画地より2メートルほど地面が低い。その分、周囲から高くなり、16メートルの違和感のあるホテルが立つことになります」

それにしても、なぜ建築許可が下りたのか。先の東村共同代表がその背景を説明する。

「ヒューリックは住民説明会で景観に影響がある画像を提出しておきながら、京都市の景観専門委員会には、影響がないように写した画像を出しました。問い詰めると、『(京都)市がそれでいいと言ったので』との返事でした。どう見ても、京都市と密接な関係があると疑わざるを得ません」

東村美紀子共同代表

２０１８年11月、地元住民は京都市に対し、京都市眺望景観創生条例に基づき「無鄰菴庭園からの眺望景観の保全を求める提案書」

を提出。9カ月後の2019年8月、門川大作・京都市長は、京都市美観風致審議会に次のような提案不採用の報告をした。

《建物（無鄰菴）の背景は空であり、視対象（見る対象）は存在しない》

ヒューリックが京都市の景観専門委員会に提出した画像を元に結論を出したということだろうが、そもそも、「空は眺望景観に含まれる自然ではないのか」と言いたくなる。住民側が専門家に依頼したシミュレーションでは、東から西に振り返ると、ホテルがはっきり見えるのだ。

名刹・三千院では土地売買トラブルも発生

京都市は2019年12月2日、同ホテルの建築を認可した。

「周辺敷地との境にある障壁が危険な状態にあります。せめて4階建てを3階建てに変更して、景観と安全を守ってほしい」（前出・東村共同代表）

前述したように京都市が導入した上質宿泊施設誘致制度（2017年5月）第1号として、世界文化遺産『仁和寺』（京都市右京区）門前のホテル建設計画を報じたが、実は、同制度の適用を目指しているホテル計画はほかにもあった。京都市左京区大原にある天台宗の名刹『三千院』を舞台にしたホテル計画だ。

大原の住民がホテル建設計画を初めて知ることになったのは、2019年3月。地元の大原自治連合会が「上賀宿泊施設誘致制度に基づくホテル施設誘致に関して京都市に要望書を出す」と、同自治連合会の機関誌で公表してからだ。

それまでホテル計画は水面下で秘密裡《ひみつり》に進められ、魑魅魍魎《ちみもうりょう》が蠢《うごめ》いていた。誘致表明の3年前の2015年10月、三千院の堀澤祖門・門主を会長、森井源三郎・信徒総代を事務局長に『京都・大原創生の会』（事務局・三千院内）が設立されていたのだ。

同会は2016年10月、一般社団法人になり、堀澤門主が代表理事に就任。翌年4月、『京都大原保存・開発』なる会社が京都市内に設立され、最高顧問に堀澤門主、相談役に森井・信徒総代が就任した。同社の代表取締役・竹中靖典氏は東京都内で健康食品を扱う会社を経営。ホテル建設の事業主体は『京都大原保存・開発』である。

会社設立直後の2017年5月と同8月、竹中社長、森井相談役らは京都市の門川市長と会談。そして、同10月25日、三千院が所有するホテル予定地の土地売買をめぐり、金主として引っ張ってきた千葉県の医療法人『心和会』の荒井宗房理事長らと協議した。

ところが、事態は急変する。2日後の27日、荒井理事長は土地代10億円の手付金1億円を騙し取られたとして千葉県警に告訴。さらに、竹中社長を相手取り3000万円の不当利得で民事訴訟を起こしたのだ。関係者は詐欺事件に絡み千葉県警から事情聴取された。

「ホテル計画は一見、凍結したかのように見えますが、2018年8月にはワゴン車に乗った

10人近くのスーツ姿の男が視察に来ていました。まだ蠢いているようです。とにかく、詐欺師ばかりですよ」（地元住民）

石川五右衛門も苦虫を嚙《か》み潰《つぶ》している？

所かまわぬ民泊乱立が呼ぶ「応仁の乱の再来」

室町時代に起きた「応仁の乱（1467年〜1477年）の再来」とまで言われている京都まちこわし。応仁の乱で主戦場となった京都は全域が壊滅的な被害を受けて荒廃した。約550年の時を経た令和の新時代、ホテル同様、所かまわず乱立する、いわゆる『民泊』（簡易宿所）が地域住民を脅かしている。

京都と大阪を結ぶ京阪電鉄の鳥羽街道駅（京都市東山区）を降りてすぐの所に、100年以上前からの静かな住宅街があり、約100世帯が暮らしている。その住宅街に異変が起きたのは、2016年頃。軒を連ねる町内の空き家3軒が民泊になってからだ。

外国人の宿泊客がゴミを勝手に出す、大声を上げる、夜中に徘徊《はいかい》する、しまいには民家のドアを開けて入ってくる……地元住民を不安に陥れ、生活環境を壊し始めたのだ。地域の東高松町内会は民泊業者に抗議するとともに、京都市の担当部局である保健福祉局医療衛生推進室医療衛生センターに指導を申し入れた。

京阪・鳥羽街道駅

この過程で、3軒の民泊はすべて無許可のもぐり営業であることが発覚。町内会の追及で2軒を廃業に追い込んだ。ほかにも、複数の民泊業者との交渉が始まった。東高松町内会の元会長で、現在は同町内会民泊対策委員長を務める山﨑正彦さんは、なぜ同町に民泊が進出してきたのか、その背景をこう説明する。

「世は空前のインバウンドブームです。京都市の門川大作市長は、京都が世界的な観光都市ということもあって、京都市が認める宿泊施設を増やす取り組みをした。住宅地に隣接した京阪・鳥羽街道駅は、外国人観光客の人気スポットである東福寺と伏見稲荷大社の真ん中に位置しており、民泊業者には絶好の立地ですわ。とりわけ、伏見稲荷大社は、年中正月のように観光客で賑わっている。東福寺も紅葉の季節になると、すごい人出ですよ。町内会も昔は150世帯ほどあったが、100世帯まで減るなどして空き家が増えた。そこに民泊業者が目をつけ、進出してきたんですわ」

同町内会の民泊対策委員会は、事業者に「話し合い」と「協定書の締結」を要求。同協定書では前文で、旅行者の生命・財産を預かる事業者として「宿泊施設の耐震・防災対策」、「地域住民への迷惑行為の禁止などの責務」を掲げ、業者の連絡先の明示や管理人の配置、火災保険などの災害時の対応などを求めている。

山﨑さんによれば、現在、稼働中の民泊は4軒、未稼働が1軒の計5軒あるという。その5軒の経緯を聞いたうえで、現地を歩いてみた。すると、「民泊は住民にはなんのメリットもない。不安を引き起こすだけで、来てほしくない」という民泊事業の実態が浮かび上がってきた。

まず、民泊のT。部屋は2室で定員6人。建物の所有者は京都府下にある株式会社K。管理会社は京都市内にある有限会社R。民泊対策委員会は交渉を重ね、「管理人常駐への努力」などの協定書を締結し、町内会費も月額5000円と決め、2017年3月から営業を開始した。

住民生活を無視する京都市政の罪過

民泊Tは一時、ゴミ出しで問題が生じたものの、その後、トラブルは収束。しかし、飽和状態にある民泊間の競争激化もあってか、業績が芳しくないことを事業者側が明らかにしており、町会費も一時期滞納している。

次は民泊H。部屋は3室でほぼ100％稼働している。オーナーは大阪にある会社の中国人女性社長だ。Hも町内会と「協定書」を締結しているという。

3番目は民泊M。オーナーと管理会社は同じで、本社は京都市内にある。Mは、もともと大正14年に建てられた古い民家だった。2017年10月の地元説明会で町内会は耐震工事を要求したが、交渉決裂。しかし、改築工事をしたことにより、京都市は2018年6月に民泊施設として許可し、強引に営業を始めた。

最近になってオーナー側の会社が倒産し、名古屋在住の中国人女性に売却、管理会社も別会社になった。町内会は協定書締結までの「営業停止」と「協議」を求めたが、そのまま営業中。

4番目は民泊W。部屋は1つで定員2名。オーナーは東京の合同会社で、管理会社は神奈川県のN。同社役員には、政治団体幹部が名前を連ねていた。Wは、無協定で2019年6月頃から営業を開始。町内会が抗議したところ、元役員とオーナーの代理人（不動産会社）が出てきた。W側は交渉を中断したまま営業を続行したが、今は看板もなく休止状態だ。

最後は民泊U。オーナーは米国カリフォルニア州の米国人。管理会社は別の米国人で、大阪で投資会社を設立している。京都市内の行政書士が代理人で交渉を担当。もともとは無許可営業だったので、町内会は協議に入る前提として、①迷惑行為への謝罪、②日本の法律遵守《じゅんしゅ》の誓約、③町内会との合意後での営業、の3点について文書で回答を求めた。

返答は見当違いの内容だった。町内会は再回答を求めたが、返事はないまま。営業はまだ始まっていないものの、京都市は許可を下ろしている。

2018年9月末現在、京都市が許可した市内の民泊は3197施設にものぼる。なぜ、ここまで増えたのか。

「京都市は、外国人観光客の際限のない呼び込み路線のもと、その受け皿としての民泊を住民の暮らしや生業を無視して、増やし続けた結果ですよ」（山崎さん）

応仁の乱の再来を招いた門川市政の責任は重い。

真宗大谷派で燻《くすぶ》り続ける「お東さん騒動」

地価数十億円の了徳寺をめぐる暗闘

「お東さん」の名で親しまれる『真宗大谷派』（本山・東本願寺、京都市下京区）をめぐり、

廃寺となった了徳寺

またぞろ訴訟騒動が起きている。２０１７年10月に解散した京都市上京区の真宗大谷派・了徳寺は２０１９年２月14日、境内地約４８４２平方メートルや木造瓦葺《ぶ》き２階建ての庫裏《くり》など残余財産を真宗大谷派に寄付した。

　ところが、「了徳寺の門徒」と主張する男性（89）ら関係者10人が同年７月12日、了徳寺の残余財産の寄付を受けた真宗大谷派（但馬弘・代表役員）を相手取り、「了徳寺の解散」「境内地の寄付行為」を無効とする訴訟を京都地裁に起こした。

　同訴訟について真宗大谷派の広報担当者は、筆者の問い合わせに対して「訴状について認識しておらず、コメントのしようがない」と答えた。

　訴訟の対象となっている了徳寺は、鴨川と高野川の合流地点に架かる賀茂大橋の西南のたもとに位置し、京都御所や下鴨神社が近く、好立地にある。しかし、境内地は樹木が鬱蒼《うっそう》と生い茂り、草ぼうぼう、建物の屋根も朽ち果てるなどまるで廃墟と化している。

2017年、世間を驚愕させた大手住宅メーカー『積水ハウス』が55億円ものカネを騙し取られた地面師事件の舞台となった老舗旅館『海喜館』（東京・五反田）の往事を彷彿とさせる廃寺だ。

京都市内の一等地にある了徳寺が、なぜ廃墟と化したのか。そして「門徒」と主張する人物らが寺の解散と残余財務寄付の無効を訴えた背景にはなにがあるのか。その経過を振り返ってみると、地価数十億円にもなる莫大な資産価値を持つ同寺をめぐる暗闘が浮かび上がってきた。

同寺が廃墟と化し、ついには解散に至ったのは、先代住職が1977年に死去したことがきっかけだ。妻と長女が残されたが、当時の大谷派の法規では女性住職を認めていなかった。また、親族に適任者がいなかったことから後継者を選定できず、住職不在の不活動が40年間も続いていた。

荒れ果てる一方の同寺の広大な敷地を狙って不動産ブローカーなどが暗躍し、事件化したこともある。2003年7月から10月にかけて、京都市在住の派遣社員が大阪市内の経営コンサルタント会社社長に了徳寺の土地約4800平方メートルの購入話を持ち掛けた。その際、「寺の売却を認める代務者を置くために裏金が必要」として現金4000万円を騙し取った容

郵 便 は が き

切手をお貼りください。

102-0071

東京都千代田区富士見一－二－十一
KAWADAフラッツ一階

さくら舎 行

住　所	〒　都道府県			
フリガナ			年齢	歳
氏　名				
			性別	男　女
TEL	（　　　）			
E-Mail				

さくら舎ウェブサイト　www.sakurasha.com

愛読者カード

ご購読ありがとうございました。今後の参考とさせていただきますので、ご協力をお願いいたします。また、新刊案内等をお送りさせていただくことがあります。

【1】本のタイトルをお書きください。

【2】この本を何でお知りになりましたか。

1.書店で実物を見て　2.新聞広告(　　　新聞)
3.書評で(　　　)　4.図書館・図書室で　5.人にすすめられて
6.インターネット　7.その他(　　　)

【3】お買い求めになった理由をお聞かせください。

1.タイトルにひかれて　2.テーマやジャンルに興味があるので
3.著者が好きだから　4.カバーデザインがよかったから
5.その他(　　　)

【4】お買い求めの店名を教えてください。

【5】本書についてのご意見、ご感想をお聞かせください。

●ご記入のご感想を、広告等、本のPRに使わせていただいてもよろしいですか。
□に✓をご記入ください。　□ 実名で可　□ 匿名で可　□ 不可

疑で２００８年２月、京都府警に逮捕された。

当時、事件を取材した元社会部記者が解説する。

「なんせ、了徳寺は京都市内でも好立地の一等地にあり、境内は広大。しかも、住職が不在で荒れ放題だったから、不動産ブローカーや地面師などの垂涎《すいぜん》の的になっていた。彼らは、隣接する数百坪の同志社女子大学の施設も買収し、了徳寺の土地と合わせて一休開発を目論《もくろ》んでいた。今回の騒動も利権話が背景にある」

〝廃寺〟了徳寺の一等地狙いの蠢《うごめ》き

先に述べたように住職不在で不活動法人になった了徳寺の門徒は、同寺が所属する真宗大谷派京都教区山城第２組の３カ寺の「預かり門徒」となった。２０１９年７月に真宗大谷派を訴えた原告側は、その「預かり門徒」とその親族だ。

一方、大谷派は１９９７年に住職を男性に限定しないよう法規を改正したが、了徳寺の先代住職の長女が２００６年、妻が２０１７年に死去したため、２００８年以降、親族である愛知県の住職が代表役員代務者、門徒総代には京都弁護士会所属の浅岡美恵弁護士が就任した。

前住職の妻は生前「了徳寺を解散し、境内地を公に戻したい」との意向を示していたことから、親族の住職や浅岡弁護士らは解散に向けて協議を進め、２０１７年10月に了徳寺を解散した。

一方、2012年以降、「預かり門徒」とその親族、「正真正銘の了徳寺の門徒」と主張する男性側はそれぞれ、「ニセ住職」「ニセ門徒」として愛知県の親族の住職と浅岡氏らの地位不存在確認訴訟を起こしたが、いずれも「原告適格はない」と敗訴。解散差し止めの仮処分申請も棄却された。

2018年7月17日、筆者の電話取材に元総代の浅岡弁護士は了徳寺の解散について「訴訟などの決着がついたから」と説明し、男性らが3月の記者会見で「解散」無効の提訴を表明したあと、提訴は「今の段階では聞いていない」と答えていた。ところが、翌18日、この男性や了徳寺の門徒を預かった寺の前住職らを取材したところ、すでに7月12日に真宗大谷派を提訴していたことがわかったのだ。

男性は「ニセ門徒らで決めたことや。絶対に勝つ自信はある」と筆者に語った。この男性は、真宗大谷派が4派に分裂するなど30年紛争となったいわゆる「お東さん騒動」で、内局と対立し東本願寺から宗派離脱した当時の大谷光暢法主《ほっす》側について「本願寺総代代表」を名乗り蠢いた1人。

時価100億円といわれた東本願寺所有の「枳殻邸《きこく》」所有権移転登記申請事件の際、法主側が行った記者会見でも、中心になってしゃべりまくった人物で、本来の仕事は不動産業だ。その〝大物〟が今回の「解散も寄付も無効」とする門徒らの中心人物になっていることから、関係者は警戒心を強めているという。

在京の不動産ブローカーの1人はこう指摘する。

「この男性なんか、とても太刀打ちできない人物が、隣接地の同志社女子大学の所有地と合わせて了徳寺の土地を狙っている。この問題はこれからが本番や」

なんとも不気味な予告だ。それにしても、お東さんが抱えるトラブルはいつまで続くのだろうか。

〝まちこわし〟は奈良にも波及

「らしさ」が失われていく名勝・奈良公園

千年の都、京都が際限のない外国人旅行者の呼び込みで「京都が京都でなくなる日」と言われているが、同様に都が置かれた古都・奈良もまた、インバウンドを当てにした高級ホテル呼び込みで「奈良らしさ」が失われようとしている。

名勝・奈良公園の一角

文化財保護法で国の「名勝」に指定されている奈良公園の中に、なんと２つもホテルができるからだ。

１つは、すでに工事が進んでいる高畑町裁判所跡地地区（約１・３ヘクタール）。ホテル『ふふ奈良』（述べ床面積約４５００平方メートル）の建設は２０１９年２月に着工し「２０２０年春には完成」（奈良県まちづくり推進局奈良公園室）する。そして、『ふふ奈良』のホームページに示された予定通りに２０２０年６月５日、オープンした。

事業主は『ふふ奈良』の関連会社である不動産会社『ヒューリック』（東京・中央区）で、高さ８メートル、２階建て、30室のリゾートホテルとレストランを開業する。ヒューリックと言えば、先の〈風致地区にも及ぶ〝京都まちこわし〟〉で紹介した南禅寺や京都の繁華街・木屋町通りの立誠小学校跡地でのホテル建設でも知られている。

同ホテルは、遠隔地からタンクローリー車で運ぶ温泉の湯を設ける露天風呂と奈良公園の景観が売りだ。立地場所は中世の興福寺子院『松林院』を継承する遺跡庭園、旧家別邸などの庭園遺構が残されており、東側には同公園の代表的な「水辺の風景」として季節ごとの彩りを見せる『鷺池《さぎいけ》』と中央部に浮かぶ『浮見堂』に多くの観光客が訪れている。その向こうには飛火野園地、奈良公園と広がり、さらに春日大社、東大寺に至る奈良観光の中心地域だ。

もともと、ホテル建設地は国の高畑町裁判所跡地で２００５年に奈良県が「春日山歴史的土地保存事業」として、約40億円で買収したもの。「こんもりとした緑の山があったところ」（地元住民）だったが、いまはその面影はない。

ホテル建設反対の住民署名は県内外から３万５０００人を超えた。地元奈良市高畑町山ノ上自治会の辰野勇会長をはじめ、住民らが県を相手に〝都市公園法・都市計画法に違反する〟として住民・行政の双方での差し止め訴訟を起こした。２０２０年１月28日、奈良地裁は原告56人が起こした住民訴訟を却下した。

記者会見した住民訴訟弁護団は「判決は、最大の争点である奈良公園に高級ホテルを造るのは都市公園法上、許されないということには触れず、『公園の財産的価値は減少したことを認める証拠はない』と、正面から答えず逃げたもの」と批判。原告の辰野会長は「想像もしていなかった判決。生活道路を温泉の湯を運ぶタンクローリー車が毎日行き来する。奈良にはホテルはたくさんある。子どもたちの学習施設ならわかるが、営利を目的にした高級ホテルは県が許可の根拠にしている便益施設には当たらない。こんなことを許せば、全国どこの都市公園でもホテルを造ってもいいということになる」と怒る。

無定見な建設推進が引き起こすもの

行政訴訟は3月24日、住民側敗訴の判決が出た。

実は、『ふふ奈良』には、県の施設である茶室と庭園が付いている。ホテルと同時進行で工事が進められているが、それこそ進出事業者のための便宜施設を県民の税金で賄うというものだ。

奈良県はホテルやレストラン、茶室・庭園を「鷺池のほとりに生まれる新たな眺望スポット」（2017年4月、『高畑町裁判所跡地の事業内容』）と美辞麗句を並べるが、「奈良公園は、春日原生林に代表される緑豊かな自然環境と東大寺、春日大社、興福寺など社寺の行事が連綿と受け継がれ、その営みが歴史的・文化的景観を形成してきました。鹿と戯れる観光客を見ると、心が和みます。（荒井正吾）知事は以前にも『若草山にモノレールを造る』と言い出し、内外の市民の猛反対で中止になったことがあります。ホテルは、国内外の多くの人たちに長年にわたって親しまれてきた奈良公園のゆったりとした雰囲気をぶちこわすだ

旧奈良少年刑務所

け」（前出・地元住民）

もう１つのホテルは、同じく奈良公園の西端にある大正時代に建てられた知事公舎と副知事公舎、旧青少年会館など、興福寺の元境内でもある吉城《よしき》園《えん》周辺地区（３・１ヘクタール）だ。奈良県は２０１６年１２月からホテル誘致事業者を募集。２社が応募し、２０１７年３月、東京の不動産大手『森トラスト』が優先交渉権者に選ばれた。

「令和４年（２０２２年）夏にオープン予定だが、着工は未定」（前出・奈良県まちづくり推進局奈良公園室）

高畑町の『ふふ奈良』同様、高さ８メートル、２階建てのホテルで新国立競技場をデザインした建築家の隈研吾氏が監修するとしている。森トラストは開発のコンセプトを「奈良らしさを世界へ」として、「最高級インターナショナルホテル」を建設すると謳《うた》っている。

吉城園地区から北西側地域にある「奈良きたまち」もそう。明治政府が全国に造った「五大監獄」の1つで当時の姿を唯一完全な形でとどめている奈良少年刑務所（2017年廃庁）は、『星野リゾート』が手掛けるホテルとして2021年に開業する（2020年11月、24年開業への延期を発表）。奈良県庁隣の奈良公園バスターミナルには2019年4月、外資系のスターバックスコーヒーがオープンし、奈良公園との違和感を醸し出している。

こんなことでは、奈良観光の最大の魅力である「奈良らしさ」を失うと思うのは筆者だけではあるまい。

奈良県知事の開き直り「県民政治意識調査」

市民の思想信条の自由や秘密を踏みにじる暗澹《あんたん》たる行為

「あなたはどの候補者に投票しましたか」「どの政党に投票しましたか」——。

憲法で保障された国民の思想信条の自由、選挙の秘密を公然と踏みにじる「政治意識調査」

を奈良県が実施していたことが、２０１９年11月発覚、県民から批判の声が上がっている。
問題になっているのは、奈良県が民間調査会社に委託し、２０１９年10月中旬～11月８日まで、18歳以上の奈良県民２０００人を対象に行った『２０１９年奈良県内における政治意識調査』だ。調査には、７００万円の公費が支出された。

県民２０００人に配布された同政治意識調査「ご協力のお願い」の内容は、とんでもない質問が山盛りだ。

例えば、２０１９年７月21日投開票の参議院選挙について、「選挙区ではどの政党所属の候補者に投票したか」と、候補者名と所属政党を実名で示して回答を求めている。そればかりか、「比例ではどの政党所属の候補者に投票したか」と、これまた「政党名、あるいは候補者名」を記入することを要求しているのだ。

２０１９年４月７日の奈良県知事選挙についても、現職の荒井正吾知事ら候補者３人の投票先、さらに、知事選挙と同日に行われた奈良県議会議員選挙についても選挙区別に候補者の名前を挙げて、そのうちの誰に投票したか、「○」を付けるよう求めている。

荒井正吾

これだけでも、公的機関が行う調査としては前代未聞の調査だ。

「政治に影響力のある政治家や政党・政策に」ついても、「好意的な気持ちがあれば、その強さに応じて51度から100度の数字の温度に例えて答える」ようにしている。

政治家や政党・政策としては「安倍晋三」「荒井正吾」「住んでいる市町村長」「大阪維新の会」「大阪都構想」などを挙げている。県民政治意識調査であるにもかかわらず、安倍首相、奈良県とは無関係の大阪維新の会や大阪都構想まで質問する必要があるのか。どうみても、荒井知事個人が知りたい「県民の政治意識調査」になっているのだ。しかも、「どの政党を支持しているか」と政党名を挙げ、「熱心な支持者」か「熱心ではない支持者」かまで聞いているのだ。

とんでもない質問はほかにもある。「ここ5年の間に、この中にあることをどれくらい経験しましたか」、そして「何度あるか」と回数も記載。この〝経験のある〟質問項目には「選挙運動を手伝う」「請願書に署名する」「デモや集会に参加する」など、それこそ国民の思想信条の自由に土足で踏み込む内容だ。

同政治意識調査は、メディアも批判的に取り上げ、『毎日新聞』(2019年11月18日付)は社説で《政治利用になりかねない》と指摘した。

しかし、同調査を実施した荒井知事は聞く耳を持たない。同年12月5日の奈良県議会本会議で、「創生奈良」の阪口保、翌6日に日本共産党の山村さちほ、日本維新の会の佐藤光紀の各県議がこの問題を取り上げ、荒井知事と担当部長を問い質した。

地方首長にも蔓延《まんえん》していく「政治の私物化」

荒井知事は「日頃から尊敬している大学の先生に『地方政治を研究するには、どんな調査がいいのか』と聞いたところ、『投票行動を検討するのがいい』と言われてやった。これまでにない新しい調査で、アンケートの回収率は大変良好。引き続き回収に努める。調査結果は地域の活性に役立つ」と開き直った。

佐藤光紀

阪口保

日本維新の会の佐藤県議の「なぜ、大阪維新の会や大阪都構想のことを奈良県民に聞く必要があるのか」との質問には、「大阪に通勤している奈良県民が多いので、県民が大阪維新の会や大阪都構想についてどの程度の意識を持っているのか知るため」と、荒井知事は理解し難い答弁に終始。

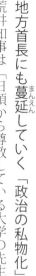

奈良県民の大阪維新の会や大阪都構想に関する政治意識調査を正当化し続けた担当の奈良県地域振興部長は、「奈良府民」と意味不明の用語まで連発した揚げ句、こう言って逆切れする始末なのだ。

「2020年3月末に分析結果が出る。それが出ないと、どの質問が良かったのか悪かったのかわからない。プロセスの一部を切り取られて、あれこれ言われても答えようがない」

そもそも、政治意識調査はどのような経緯で行われたのか。

荒井知事や担当部長の県議会での説明によると、２０１９年4月26日に開催された平成31年度第1回奈良県・市町村長サミットが発端だという。県下の市町村長ら２５０人が参加した同サミットで北村亘・大阪大学大学院教授が「地方政治～首長、議会による二元代表制の望ましいあり方」と題して講演した。同教授の本を読むなど尊敬していた荒井知事は、北村教授から「日本では一流の政治学者」と紹介されたほかの大学教授らと同年8月に勉強会を開催。プロポーザル方式で「県民政治意識調査」を実施することにしたという。

今回、質問項目を作成したのは、北村教授ら7人の大学教授だった。先の山村県議が情報公開請求で入手した県の文書によると――。

２０１９年5月10日、県の地域振興部長らが大阪市内のホテルで北村教授と打ち合わせ。同教授が「自分の興味領域とも合致しているので、是非かかわってみたい」と発言している。

山村県議はこう言う。

「自分の興味なら自分でやるか、大学の研究室でやればいいことです。県が公費を出す必要はまったくありません」

安倍首相の『桜を見る会』の私物化同様、地方政治でも「政治の私物化」が流行しているようだ。

神戸市「ヤミ専従」労組活動の闇

昭和20年代まで遡り続けられてきた悪しき慣行

「亡霊が市役所の中を徘徊している」

2018年9月、神戸市の久元喜造《きぞう》市長は市職員の労働組合と市当局が一体となって70年間も続けてきた、いわゆる「ヤミ専従」を「亡霊」にたとえて根絶を訴えた。

久本喜造

2019年2月6日、神戸市は2013年以降に労組役員ら28人に対して、不正に支給した1億5000万円に利息分を加えた約1億7000万円の返還を請求した。併せて歴代の市労組幹部29人と市幹部ら44人の計73人を停職などの懲戒処分とした。内部処分の訓戒を含めると、計189人にも及ぶ市関係者が処分された。

「亡霊」の「ヤミ専従」を抱えてきた市労組から全面支援を受け、2度市長に当選した久元市長も、市の第三者委員会から「市政を預かる者として管理監督責任を免れない」（2019年1月31日、最終報告書）と断罪され、給与の30％を3カ月間自主的に減額、返納することを明らかにした。

ヤミ専従とは、労働組合の役員が勤務期間中に所定の手続きをとらずに職場で勤務しているように装い、実際は職場を離れて組合活動の専従をしていたこと。もちろん、職場にいないにもかかわらず、その分の給料は受け取っていた。

神戸市でヤミ専従が指摘されたのは、『神戸市職員労働組合』（市職労、約6000人）と『神戸市従業員労働組合』（市従労、約2500人）の2つの労働組合。

ヤミ専従が発覚したのは2018年6月。《神戸市職労の闇をみんなで語りましょう。暴きましょう》とネットで書き込みが始まってからだ。

同ネット情報を市職員から知らされた久元市長は2018年9月、弁護士6人で構成される『市職員の職員団体等の活動における職務専念義務違反に関する調査委員会』（第三者委員会）を発足させ、11月に中間報告、2019年1月に最終報告をまとめたのだ。

久元市長は自身のブログで第三者委員会発足の経緯について、次のように述べている。

《今年5月、神社でおみくじを引いてほどなく、市役所にヤミ専従が横行している、という情

神戸市役所

報に接しました。当局も含めた市役所ぐるみの慣行であることが推認され、不用意に動くと、文書の改ざんなど隠蔽《いんぺい》工作が行われる可能性も否定できませんでした。ずいぶん悩みましたが、9月には第三者委員会を設置し、徹底調査に踏み切りました。これまでの調査では、この悪しき慣行の淵源は昭和20年代にまで遡《さかのぼ》り、数十年にわたって続けられてきたことが明らかになっています》（２０１８年12月31日）

「労使共同決定方式」だった神戸市政

第三者委員会によると、ヤミ専従は、いわゆる「労使共同決定方式」が前提になっていた。本来、管理運営事項と目される事項も幅広く労使交渉の対象とされてきた結果、市当局の施策実行に当たり、まず労働組合に打診して意見を求める処理手順が踏襲されてきた。この手順を誤ると、担当者や上司が組合執行部に呼ばれ説明を求められた揚げ句、叱責、謝罪まで要求される状況だった。

要は、労働組合の了解なくして各種行政を円滑に実施することができなかったわけで、種々の施策が組合と当局の「労使共同決定方式」の形で処理されてきたのだ。労組側も「組合と神戸市は〝車の両輪〟のように、同じくよりよい行政の実現を目指し、市職員は本来職務として組合活動を行っており、ひいては市民の利益につながる」との意識を持っていた。

しかし、その実態は真っ黒。例えば、労組役員が所属する部署には職員を定員より多く配置したり、また職務分担表には離席を繰り返していた組合役員の名前の記載がなく、あっても実態不明の職務が記されているだけだった。

20～30年にわたり、同一の職場を離れていない労組役員も少なくなかった。また労組役員には、地方公務員法が定める上限を超える専従休職を許可。あるいは上限を超えないよう外郭団体などに退職派遣し、派遣先ではすぐに休職扱いとされ、組合専従を続けさせていた。

退職金は地方公務員法では、「専従休職期間」（上限7年）は含まれないとされている。しかし、神戸市は上限を超えた場合、「上限期間」のみを差し引いて退職金を支給していた。平成元年（1989年）以降、12人の役員に対して合計5349万円も過払いしていた。神戸市は「専従許可と退職手当の取扱い」と題する文書を作成し、組合三役に確認するなど密約まで交わしていた。

第三者委員会は「労使共同決定方式」が存立した要因についてこう断定した。

●組合本部役員の日常的な職務専念義務違反（ヤミ専従）が長期間にわたって存続した結果、組合役員が本来業務を離れ組合業務に専念することが当然のことであるかのような意識が醸成されてきた。

●1995年の阪神・淡路大震災で被った多大な被害回復のため多額の借金を抱え、その返済のため約7000人もの職員削減をせざるを得ない状況に追い込まれた。この大幅な人員削減を円滑に実現するため、組合の協力が不可欠であった。

●1949年の原口忠次郎元市長以降、久元市長に至るまでの70年間、市職労の推薦を受けた候補者が当選するパターンが継続。久元市長以外はいずれも神戸市職員出身で、市職労の推薦を受けて当選すれば、次回選挙も推薦を受けて出馬することが予想されるため、市職労幹部に対して強く出ることができない意識が醸成され、その結果、組合役員から理不尽な取り扱いを受けても、これを改善しようとの意識を強く保持することができなかった。

神戸市職員労働組合のドン大森委員長の独裁

《(神戸市役所) 3号館の9階に共助組合別室とかいう小部屋があるけど、やたらそこにぶち

ょーとかかちょーが出入りしよんね。誰がおるの？》

２０１８年6月21日夜、ネット上にこう書き込まれたのが、神戸市職員労働組合（市職労）のヤミ専従問題発覚の端緒だった。「誰がおるの？」の誰とは、市職労のドンこと大森光則・元委員長のことである。

第三者委員会の最終報告書では、ヤミ専従の土壌になった「労使共同決定方式」の定着に大森元委員長が大きな役割を果たしたとしている。まるで独裁者のような振る舞い、市当局との癒着、特別待遇については、おおよそ以下のような記述をしている。

《元委員長が人事給与関係事案に限らず、いろいろな事項につき、その関係者を組合事務所に呼んで説明を求めたり、時には大きな声を出して叱責したりした。その回数も多く、関係者のなかには〝(元委員長から)恫喝《どうかつ》されたように感じた〟と答える者も複数いた》

《元委員長は現職時はもちろん、委員長職から退任後も組合に大きな影響力を持っていた。現職委員長時は、当局が事前に組合に連絡なくして話を進めたりすると、強い口調で苦情に来ることから、いつしか新しく異動してきた後任職員は、上司から組合に挨拶に行くようアドバイスされるような事態に至った。人事当局の各担当者も毎月1回以上は面談。久元市長ですら幹部職員から〝たまには元委員長と会ったほうがいい〟と言われ、元委員長と面談したことがある。２０１７年3月、市職労委員長を退任し、神戸市職員共助組合の調査役に就任したあとも、

元委員長に用意された個室を幹部職員が訪れていた》

冒頭の《3号館の9階の共助組合別室》とは、ほかならぬ大森元委員長に当てがわれた個室のことである。元委員長の執務場所は、共助組合のスペースの一部を個室として模様替えされたものだった。

元委員長に対する市当局の特別待遇は、在職中から行われていた。

保健福祉局総務部計画調整課に所属していたが、勤務場所の一区画をパーテーション（間仕切り）で囲み、執務スペースには鍵付きドアが取り付けられていた。特別扱いは「退職派遣」先だった神戸都市問題研究所（2018年3月解散、同年4月以降は神戸市文書館が業務引継ぎ）でも変わらなかった。「委員長のオーダー」として、文書館本館2階のマイクロリーダー室内に個室仕様の執務スペースを設けたのだ。

戦後70年にわたるヤミ専従の「暗黒の歴史」

元委員長は市職員を退職後の2年間、離籍専従として市職労委員長を務め、同委員長を退任した。その後、市職労の顧問に就任すると同時に、共助組合の組合長を兼務していた前行財政局長の計らいで、「調査役」というポストを新設、かつ組合長が必要と認めるときに置くことができる「常任委員」として、共助組合に再就職した。

笹山幸俊

特別待遇の裏には、労使関係を超えた異常な癒着があった。前行財政局長は、大森元委員長と数回旅行するなど親しい交友関係にあり、第三者委員会の聞き取り調査に「元委員長のことを一番理解しているのは前行財政局長である」と答える職員すらいた。

組合交渉の窓口である労務担当部署を所管する行財政局のトップと市職労委員長の癒着は、公正であるべき労使関係を歪めるものだった。

阪神・淡路大震災後の最初の市長選挙となった1997年の笹山幸俊《かずとし》元市長3期目の選挙戦。大森元委員長は著書『神戸市都市経営はまちがっていたのか』（神戸新聞総合出版センター2001年刊）で《市職労は、笹山市長の推薦を決定し、当選に向けて全力を挙げて戦った》と記している。

市当局との癒着は、神戸市従業員労働組合（市従労）でもあった。たとえば、市従労本庁支部の支部長は、市当局関係者と新年度4月1日、「顔合わせ」と称して宴会を開くとともに、前任支部長が所有する別荘に年3回の旅行を企画。その段取りは市当局の総務部総務係長にさせ、参加を半ば強制していた。

「神戸市の暗黒の歴史」

第三者委員会が最終報告書をまとめた2019年1月末の記者会見で、弁護士の1人がヤミ専従問題をこう言い表した。

　同委員会報告書によると、ヤミ専従の「暗黒の歴史」は「昭和24年から25年にかけて敢行されたレッドパージ」まで遡る。「レッドパージ」とは、当時のアメリカ政府が連合国軍最高司令官マッカーサーの指令で、日本の重要産業やマスコミ、国家公務員、地方公務員から共産党員およびシンパを追放するというもの。

　神戸市でも共産党員や労働組合の活動家などを含め417人が解雇された。かつて市職労委員長だった人物の証言によると、共産党系と対立していた民主的労働組合（民主化同盟＝民同）系は、レッドパージで解雇された共産党系の組合員の資格を認めず、その支援に回らないことを市当局に約束。その結果、民同系役員は市当局に取り入れられ、幹部に登用される者もいた。

　特に組合が要求したわけではなかったが、勤務時間内の組合活動も自由に行われるようになったという。以来、70年間、ヤミ専従が続いたが、これを改める機会を何度も逸した。たとえば、2008年、社会保険庁のヤミ専従問題が発覚したことを受けて、総務省は全国の自治体に一斉点検を実施したが、神戸市は「なし」と虚偽回答をしていた。

　社会部記者が言う。

「神戸といえば、ハイソなイメージだが、実態は閉鎖的な大いなる田舎、神戸一家だった」

「地元ドン」に牛耳られていた和歌山市の暗部

和歌山市職員計22人処分の「ドン」との癒着

紀州・和歌山で長年にわたって地元のドンとして君臨してきた人物が詐欺の疑いで和歌山県警に逮捕されたことから、行政と同人物との長年の癒着が発覚、和歌山市の闇が世間に知れ渡ることになった。

2019年10月23日、詐欺の疑いで和歌山県警に逮捕されたのは、和歌山市の芦原地区連合自治会長、金井《かない》克諭暉《よしゆき》(本名・金正則〈63〉、2021年2月2日に和歌山地裁が懲役1年10カ月の判決言い渡し)。金井は、和歌山市が発注した芦原地区内の公共工事を落札した業者に対し、自治会への「協力金」名目で現金30万円を騙し取ったという疑いだが、実態は「和歌山市側の『協力』なしには成立しえない犯罪」(和歌山市関係者)だった。

というのも、芦原地区内の事業を落札した業者は複数の市職員に連れられ、金井のもとへ挨拶に訪れていた。そして、金井から「落札金額の3%から5%のカネを自治会への協力金として払うことを求められた。長年の慣習になっていた」(和歌山市の出入り業者)からだ。この協力金は自治会の会計に入らず、金井の懐に入るなど、私腹を肥やしてきたという。

同詐欺容疑での逮捕に先立ち、和歌山県警は和歌山市内の繁華街で妻とともに経営していたスナックの無許可営業で金井克諭暉を同年10月２日に逮捕していた。このスナックが和歌山市職員と金井の癒着の舞台になっていたことが明るみに出るのだが、事件発覚の発端と背景について以下、明らかにしていきたい。

金井克諭暉

尾花正啓

和歌山市の尾花正啓市長が金井の逮捕以降、記者会見や地元自治会などで説明したところによると、事件の発端はこうだ。

２０１８年12月、和歌山県警から、芦原地区連合自治会長の金井が公共工事に対する地元協力金を要求している、として捜査協力があった。２０１９年２月、尾花市長にも直接、ある業者から「芦原地区の事業を落札し、契約したあと、市職員に言われ、金井会長に挨拶に行ったところ、市職員が退出したあと、金井自治会長から地元への協力金として現金を要求されて、支払った」との訴えがあった。

この告発に対し調査を進めた結果、長年にわたる悪しき慣習が判明。さらに、芦原地区にある和歌山市の施設『芦原連絡所』と『芦

芦原文化会館

原文化会館』の一部会議室を金井が占有していたこともわかった。

同年11月18日、和歌山市は不適切な対応をしたとして局長10人など計職員22人の処分を発表した。処分の理由は、2016年11月、市発注工事の落札業者から「金井自治会長から協力金を要求された」と相談を受けた当時の市幹部が事実上、聞き流すだけで放置。2013年〜2018年度にかけて、金井克諭暉夫婦が経営するスナックの飲食代となるパーティー券を、歴代の人権同和施策課長が取りまとめ、市の幹部職員らに売りさばいていた。

また、和歌山市の施設である芦原文化会館と芦原連絡所では、長年、金井の私物やゴルフバッグ、釣り道具などが置かれ、占有されていたにもかかわらず、2012年度以降の自治振興課長や文化会館長が、事実上、黙認していたという。

謎を解くカギは同和対策事業

職員の処分を発表した市の担当課は、市職員と金井が密接な関係にあったことをこう説明する。

「（金井のところに）盆暮れや職員の定期異動のとき、文化会館あるいは芦原連絡所の金井自治会長が占有していた部屋に挨拶に行っていた。パーティー券はスナックでの飲食代で1枚7500円。毎年40人くらいが購入し、すべてではないが、そのパーティー券を使ってスナックで飲み食いしていた」

和歌山市役所

ほかにも、芦原地区の盆踊りなどのイベントには、大勢の市職員が参加していたことがわかっている。

それにしても、なぜ金井はやりたい放題だったのか。その謎を解くカギは、1969年から始まった同和対策事業だ。

先の和歌山市関係者がこう解説する。

「芦原地区は、他の地区と比べ、住民の生活環境が劣悪だった。それで地元住民組織として1979年11月、『芦原地区特別対策協議会』（通称・芦対協）が設置され、特別な助成金も出された。その芦対協が旧同和対策事業の窓口になった。逆に言えば、地区の事業はすべて芦対協を通さないとできない、つまり、市が服従する構造が出来上がったのです。この間、住宅ができ、道路も整備されるなど、莫大なカネが芦原地区に投入され、芦対協の会長を務めた歴代の地域のボスが甘い汁を吸って肥え太ってきた。金井自治会長は、生まれ育った芦原地区でそのことを知っていたので、『同和』を語れば、カネもうけができると考えていたと思う」

和歌山市によると、芦対協会長は芦原地区連合自治会長が兼任し、事務所は芦原文化会館に置かれている。その会長に金井が就任したのは2012年だ。つまり、金井は、絶対的権力者の地位を手にしたことでドンに成り上がったというわけである。

金井は、地元選出の自民党・二階俊博幹事長をはじめ、政界にも幅広い人脈を持っていた。和歌山県も金井と県職員との不適切な関係を調査し、11月中に発表するとした。

2019年11月22日の記者会見で尾花市長は「交渉で恫喝して不当な要求をしてきた芦対協」との決別を宣言したが、乱脈な旧同和事業は引き続き継続中で、全容解明にはほど遠い。

和歌山の闇は深い。

第四章　金の亡者たちの自滅

横浜市カジノ誘致参戦で激化〝利権争いの表裏〟

「白紙」から一転の横浜市誘致表明の背後に菅現首相

カジノを含む統合型リゾート施設（ＩＲ）の誘致競争が激化している。２０１９年8月22日、横浜市の林文子市長は誘致を正式表明。横浜港の山下埠頭《やましたふとう》（同市中区）を整備し、２０２０年代後半の開業を目指すという。

ＩＲ誘致表明は大阪府&大阪市、和歌山、長崎両県に続き4カ所目。立地区域は最大３カ所で、早ければ２０２０年中に決定する。投資額は「1カ所1兆円」とされ、３カ所で計３兆円の利権をめぐる自治体間の争奪戦が激しくなった。

同時にＩＲを運営するカジノ大手の日本参入競争も熾烈《しれつ》を極めている。横浜市の誘致表明を受けて米カジノ大手『ラスベガス・サンズ』は同22日、これまで積極的だった大阪進出を見送り、一転して「東京と横浜に注力する」と発表したのだ。香港の『メルコリゾーツ&エンターテインメント』も、近く横浜市にオフィスを開設し、横浜でのＩＲ参入の機会を虎視眈々《たんたん》と窺《うかが》っている。

一方、オリックスと提携し、「大阪ファースト」を宣言している米『ＭＧＭリゾーツ・インターナショナル』はこれまた同日、「大阪でのＩＲ実現に全面的にコミットしている」と、大阪が最優先であることを再確認する声明を出している。

そんなさなかの8月29日、米大手カジノ事業者『シーザーズ・エンターテインメント』は、東京や横浜、大阪、北海道苫小《とまこ》牧《まい》市でのＩＲ開発を目指し２０１８年に整備構想を発表していたが、日本版ＩＲライセンス取得からの撤退を表明した。

「ラスベガス・サンズが突然、大阪を見捨てたかと思えば、シーザーズが日本市場から撤退するなど、運営業者も水面下で暗闘状態ですね。まさに横浜ショックですよ。『白紙』から一転して誘致を表明した林市長の背後に、横浜市がお膝元の菅義偉官房長官（＝当時、現首相）がいることは明らかです。

林文子

カジノ誘致には横浜市民の9割以上が反対しています。山下埠頭については、〝ハマのドン〟こと藤木幸夫・横浜港運協会会長（当時）が強く反対している。それを承知で誘致に乗り出したということは、菅官房長官と藤木会長のガチンコ対決で、ドン追い落としが始まったというわけです。

そこまで踏み切ったのは、ＩＲの設置区域３カ所の枠に入るには、日程上、この秋の市議会で誘致を決める必要があったから急いだん

山下埠頭

ですよ」（経済部記者）

林市長の背後に菅官房長官の存在を指摘する声は多い。実際、横浜市は2014年度から2019年度にかけて計5回、「IR（統合型リゾート）等新たな戦略的都市づくり検討調査」のための業務委託を行っている。うち3回は、菅官房長官の補佐官を務めた福田隆之氏がエグゼクティブディレクターとして勤務していたEY新日本有限責任監査法人が落札しているのだ。

福田氏をめぐっては、「カネと女」にまつわる怪文書が永田町で出回り、2018年11月9日付で突然、官房長官補佐官を退任したことで知られている。

6月には、横浜市の委託でEY新日本有限責任監査法人が作成した調査報告書についての市民説明会が開催されている。

「引き続き検討」の小池都知事は〝最適地・青海《あおみ》地区〟で参戦か？

誘致を表明した8月22日の記者会見で記者から「（2年前の）市長選で白紙と言っておきながら、結果的に誘致することになった。そうなると市民は騙《だま》されたということになる」と追及された林市長は「『白紙』というのは『どちらにも決めていない』ということ。裏切ったという気持ちはない」と苦しい弁解に終始。

また、「これまで菅官房長官とＩＲ誘致について話したことはあるか」と問われた林市長は「ないです。ただ、当然、情報としてＩＲのことはお互いわかっていますが、それについて詳しく話し合ったことはありません」と言い逃れした。

同日、菅官房長官も記者会見で質問を受け、「林市長は私の選挙区の横浜市の市長ですから、当然、常日頃からいろんなことを議論しているのは事実。ただ、誘致は横浜の問題で政府としてコメントする立場にはない」とこれまた煙に巻いた。

横浜市の発表によると、開業すれば年間２０００万人〜４０００万人が訪れ、市財政も８２０億〜１２００億円の増収が期待できるという。９月２日から始まった横浜市議会ではＩＲ関連の補正予算案として２億６０００万円を上程した。

先述の経済部記者は競争が激化する誘致レースの舞台裏をこう明かす。

「誘致をめざす自治体には、必ず監査法人系のコンサルタント業者がついている。カジノの運営会社、施設建設会社の選定権は、この経営コンサルタント会社が握っています。大阪だと外資系のＰｗＣコンサルティング合同会社」

小池百合子

大阪府はそのＰｗＣと3億７７００万円のアドバイザー契約を結んでいる。２０１８年7月の天神祭で、ＰｗＣ社員が米カジノ日本法人から船上接待を受けていたことが発覚。図らずもコンサルタント会社が鍵を握っていることが露見した。

4自治体以外にも、東京、愛知、北海道、千葉でも誘致が検討されている。東京都の小池百合子都知事は8月23日の記者会見で、「引き続き検討していく」と語ったが「毎年ＩＲの海外事情を調査している都港湾局へは、密かに委託した三菱総研から〝臨海副都心の青海《あおみ》地区が最適地〟とする報告書が出ています」（『臨海部開発問題を考える都民連絡会』世話人の関口偵雄氏）

東京都がカジノ誘致を表明するとすれば、２０２０年の都知事選後、つまり東京五輪後とみられていたが、コロナ禍ですべてが不透明になった。

コロナ禍「カジノ直撃」のてんやわんや

大打撃必至の大阪府・大阪市のIR「成長戦略」の現状

新型コロナウイルスの世界的感染拡大は、カジノを含む統合型リゾート施設（IR）の開業にまで影響を及ぼしている。大阪府の吉村洋文府知事は2020年3月27日、目標にしていた『2025年大阪万博』開催前の一部開業断念を表明した。

新型コロナの世界的な流行でIR応募事業者が通常業務を行えない状態になったことがその理由。万博前の開業を目指し、本来、事業者が行うことになっている環境アセスメントの肩代わり実施、まだカジノ候補地が正式決定していないのに事業者を募集するなど、前のめりでIRを推進してきた大阪府・大阪市の「成長戦略」に大打撃を与えることは必至だ。

吉村洋文

大阪府・大阪市の事業者公募には、米MGMリゾーツ・インターナショナル&オリックスのグループ1社だけが応募。府・市は4月としていた応募書類の期限を7月に、6月としていた事業者決定を

9月に延期するとしている。

現在のところ、2027年3月末の全面開業に変更はないが、国は2021年10月～22年4月に自治体と事業者が共同で提出する「区域整備計画」の申請を受け付ける。国から立地区域の認定を受ければ、大阪府・大阪市は2024年春頃に事業者らに土地を引き渡す予定になっている。

今回の万博開催前のIR一部開業断念に「大阪IRの『終わりの始まり』になるのではないか」と指摘するのは、世界のカジノ問題に詳しい阪南大学の桜田照雄教授だ。その理由をこう解説する。

「『終わり』とはなんですか？ と問われると、それは『MGMは来ない』ということです。いま米国は新型コロナで世界で一番多い感染者を出している。ネバダ州知事はカジノ閉鎖を命じました。MGMは1日で1・5億円をラスベガスで稼ぎます。資産の保有状況からすれば、1年は持ちこたえることができる。とはいえ、資金繰りに難点があるMGMですから経営が苦しいのは間違いない。なにせ、『1兆円の投資ができるのか』と大阪府から挑発されたので、稼ぎ頭のカジノを約4200億円で売却して現金をつくりました」

MGMはマカオにも進出しているが、これについてはどうだろうか。

「MGM撤退」で大阪カジノ〝誘致〟失敗⁉

「マカオでMGMは単独でカジノ事業を営んでいるのではなく、『マカオのカジノ王』ことスタンレー・ホー一族が運営するSJM（創業者スタンレー・ホーの娘で最有力の後継者パンジー・ホーが経営）との合弁で『MGMチャイナ』を運営している。ここからの配当収益がMGMの屋台骨。ラスベガス・サンズなどに比べれば、財務は脆弱《ぜいじゃく》だと言わねばなりません。そのうえ、大阪・夢洲《ゆめしま》は海底地盤や土壌に難がある。公表された投資規模ではとうてい収まるとは思えない。資金繰りに難点を抱えつつ、いくら掛かるか判然としない投資に乗り出すのか。万博開催前のカジノ開業を大阪府は諦めたと報じられましたが、これが『MGM撤退劇の幕開け』というわけです」（桜田教授）

大阪・夢洲IRには、万博開催前の開場という第1次計画と、万博後の2030年度までに規模を拡大する第2次計画があった。大阪は全国のカジノ候補地の〝先駆け〟と位置づけられていた。

「カジノの売上に影響する新型コロナは、遅かれ早かれ、金融システム危機をもたらすでしょう。どのカジノ事業者も投資ファンドが金融を支えています。カジノ業者が発行する優先株を投資ファンドが購入します。優先株には議決権はありませんが、配当金で優遇します。しかも、

大阪北港の一画を占める夢洲

その配当金は非課税です。この仕組みの下では景気が右肩上がりにならないと、カネは回りません。新型コロナ感染の拡大で金融システムが揺らいでいるので、積極的な投資を控えるのは合理的な選択です。当初、大阪府・大阪市が望んでいた『先行投資』はなくなってしまいました。カジノ事業の本格進出が目論まれていた2030年前後に『全国3カ所そろい踏み』の一斉開業に向かうのではないか。そのとき大阪が3カ所に入っているとは限らないと思います」(桜田教授)

もともと、IRはカジノ開業と直結させるのが狙い。大阪万博の成否はインフラ整備にかかっている。万博への誘客インフラは、会場が同じカジノへの誘客インフラを意味するのだ。

企業がカジノ事業に資金を提供すれば「公序良俗に反する」として株主代表訴訟の懸念がある。しかし、万博を口実にすれば、その心配を解消できる――関西財界の本音はそこにあると見ていい。

すでに進行している夢洲の土地造成やアクセス面で大阪府、大阪市は莫大《ばくだい》な費用を投じている。その資金は回収どころか、損失のほうが大きいという試算まで出る始末。新型コロナのパンデミックで1年延期が決まった東京オリンピック・パラリンピックは先行き不透明、世界経済の動きに左右されるIRも一寸先は闇だ。
米国・トランプ大統領（当時）と中国・習近平国家主席の駆け引きに左右される日本カジノの行く末はどうなるのだろうか。

大阪カジノ「終わりの始まり」は「大阪都構想」と同構図

大阪市を廃止して特別区を設置するいわゆる「大阪都構想」の住民投票について、大阪市の松井一郎市長は新型コロナウイルスの感染拡大が夏まで続いた場合、２０２０年11月に予定されている住民投票を延期する考えを明らかにした。20年4月1日の記者会見で言及したもので、同市長はこう危機感を露わにした。

松井一郎

「説明会も何もできない。この状態が11月に続いているようじゃ、実際に投票できない。そこまでこの状態が続いていたら、日本がガタガタになっている。政府の配給でみんな何とか食べている状態に追い込まれている」

同7日、政府は東京を含む首都圏や大阪府などを対象にした新型インフルエンザ等対策特別措置法に基づく緊急事態宣言を発令した。維新の会の最大の目玉政策である「大阪都構想」もまた、新型コロナウイルスの感染拡大で先行きが不透明になってきたのだ。

先にもお伝えした阪南大学の桜田照雄教授が指摘した大阪カジノの「終わりの始まり」は「大阪都構想」も同じなのである。ましてや、世界的流行（パンデミック）の影響をモロに受けるカジノを含む統合型リゾート施設（ＩＲ）の誘致はなおさら困難になるだろう。

大阪ＩＲに応募したのは、米ＭＧＭリゾーツ・インターナショナル&オリックスグループ１社だけで、事業者決定は６月から９月に延期され、先の緊急事態宣言も重なり、まったく見通しが立たなくなった。

当然、本節の〈コロナ禍「カジノ直撃」のてんやわんや〉は、日本で最大３カ所となるカジノ開業を前提にして書いているが、ＭＧＭは有力視されている大阪を撤退する可能性があるとされる。その背景について前項に引き続き、世界のカジノ問題に詳しい桜田教授が解説する。

「日本でのカジノ事業の鍵を握っているのは、マカオの業者です。『マカオのカジノ王』ことスタンレー・ホー一族の意向でどうにでもなる。まず、マカオでのカジノの免許更新が２０２２年にあります。このとき、スタンレー・ホーの娘のパンジー・ホーが運営するＳＪＭがＭＧＭとの合弁を解消すれば、ＭＧＭの経営は立ち行かなくなります。ＳＪＭはこの切り札をラスベガス・サンズとの日本市場の分割交渉に使う。ラスベガスやマカオでのMGMのシェアを2者で山分けする交渉です。資金繰りに難があるMGMをこの際、たたき潰《つぶ》す戦略です」

　IR汚職疑惑が表面化したからか、撤退を表明した北海道の今後について桜田教授はこう見る。

「北海道の利権をMGMが握ろうとしましたが、うまくいかなかった。北海道が候補地から消えれば、必然的に3カ所目は長崎に落ち着くという読みもある。ただ、北海道は復活する可能性もある。北海道に名乗りを上げていたのはMGMのダミーだった。カネなら、出せる業者は出せばいい」

　さらに、桜田教授が注目するのは中国の習近平国家主席だ。

「彼は〝香港の金融機能をマカオに移す〟と言った。なぜなら、香港市民の激しい抵抗運動を鎮めるのに、香港の経済力を削ぐ決意だ。香港の金融機能をマカオに移植するには、表向きカジノが邪魔になる。そうなると、マカオのカジノ業者にとって日本市場は文字通りの生命線となります」（同）

桜田照雄教授

陰りが見え始めたシンガポールのIRの示唆

一方、なぜ日本はカジノ誘致に血眼になるのか。

「シンガポールのカジノに観光客は年間5000億円近いカネを落としていく。そこに維新の会や観光庁など推進派が目をつけた。シンガポールのカジノが荒稼ぎしている実態を観光庁が公表することはない。もっぱら〝IRができて観光客がたくさんやってきて、おカネを落としていく〟と誤魔化している。実は、カジノで落とすカネに目がくらんだというのが推進派の実態でしょう。もちろん、日本には3店方式で『疑似賭博』となったパチンコを筆頭に、競馬、競輪と賭博への強いニーズがある。あとは客を集めやすいところに進出するだけですよ」(同)

さらに、日本のカジノ誘致競争についてこう続ける。

「カジノ業者が一番欲しいのは東京と横浜です。大阪なんて〝どうでもいい〟が本音で、一地方の扱いです。大阪は長崎と同じローカルで競争相手の長崎はマカオが牛耳っている。いまの習近平とトランプの貿易戦争の推移をみれば、東京・横浜で首都圏を山分けして、MGMのマカオやラスベガスのシェアはサンズにくれてやる。その代わりに長崎をというわけだ」(同)

実は、維新の会や観光庁などの推進派が飛びついたシンガポールのIRには、陰りが見え始めている。

「〝飽きられればおしまい〟がアミューズメント産業の泣きどころ。シンガポール政府の観光統計を過去に遡《さかのぼ》って見てみると、IR誘致の最大の理由になっているMICE《マイス》(会議、イベント施設)機能を目的にシンガポールを訪れる海外旅行客は2008年から2018年の間で、わずか2～5％にすぎません。つまり、ＭＩＣＥが目当てではない。しかも、海外旅行者の消費支出に占めるカジノの割合も、２０１１年24・2％から２０１８年21・7％と減少気味です」（同）

新型コロナのパンデミックで大阪や京都から海外旅行客があっという間に姿を消し、インバウンドで賑わった店や宿泊施設が次々休業、閉店に追い込まれている現実を見ると、「カジノで経済成長」など幻想と思うのは筆者だけではあるまい。

サンズ「日本カジノ」撤退の真相

最大規模カジノのマカオでさえコロナで98・8％売上減少

カジノを含む統合型リゾート施設（ＩＲ）をめぐり、業界最大手の『ラスベガス・サンズ』（以下サンズ、米国）が２０２０年5月13日、日本進出の見送りを表明、各方面に衝撃を与えている。

新型コロナウイルスのパンデミック（世界的流行）の影響で世界的に経済状況が厳しくなる

なか、新たな市場である日本への投資はリスクが高いと判断したとみられ、他の業者も追随する可能性が高い。この間のインバウンド（外国人旅行客）の破綻《はたん》に続き、安倍政権の成長戦略は一気に暗雲が漂い始めた。

世界のカジノ問題に詳しい阪南大学の桜田照雄教授に、サンズの日本撤退の背景とその影響について聞いた。

――サンズが２０１９年８月、大阪カジノから撤退し、東京・横浜に注力すると表明していましたが、今度は日本市場そのものから撤退することを明らかにしました。なぜ、こうなったのですか。

桜田教授　まず、今回の新型コロナのパンデミックが世界のカジノ業界に与えた影響から見てみます。世界のカジノ市場には、３つの有力な市場があります。規模の順に、マカオ、ラスベガス（アメリカ国内各地）、シンガポールです。

そのうち、最大規模のマカオのカジノ市場は1日当たりの来訪者は1年前に10万人を超えていたのが、２０２０年4月はわずか２００人程度と壊滅的状態です。当然、収益も減少し、マカオ政府の発表によると、4月の売上は対前年比98・８％の減少と惨憺《さんたん》たるものです。

このマカオで圧倒的な地位を示すのがサンズです。30％のシェアを持っています。マカオには40数カ所のカジノがありますが、その半数はＳＪＭという「マカオのカジノ王」と呼ばれるスタンレー・ホー一族が握っていますが、シェアは14％にすぎません。いかに、サンズが経営力に優れているかを示す事例です。そのサンズが、コロナ禍を理由に配当を停止し、この４半期決算で約１７８億円の純損失を出しています。

日本カジノの運命握るマフィアの「裏事情《マネーロンダリング》」

――今回のサンズの日本進出断念の理由を「日本の制度が不備だった」との見解を述べるカジノ研究者がいますが、本当のところはどうなのでしょう。

桜田教授　日本の制度は「免許期間が10年と短い。初期投資費用が回収できない」というのがその理由ですが、それはまやかしです。というのも、前ＩＲ議連事務局長の萩生田光一・文部科学相は２０１９年８月、大阪で開催されたシンポジウムで、免許期間を「30年に延長する」ことを公言し、大阪府・大阪市の「実施計画（案）」では、「35年の賃貸契約」となっています。「１００億ドルの初期投資費用」も、初期投資の費用を下げれば済む話ですから、これも理由になりません。

――それでは、どんな理由で撤退したのですか。

桜田教授　カジノの弱点は「顧客に飽きられればおしまい」という点です。そのため、建物や内装といった「見栄えのよさ」を醸し出すための設備投資が欠かせません。この設備投資を支えるのが、金融です。といっても、アメリカやヨーロッパの銀行は日本と違って、設備投資にカネを出しません。カジノ事業の出資者は、投資家（ヘッジファンド）です。彼らの関心は、株価と配当のみです。いきおい、企業の業績に敏感になります。そのヘッジファンドが日本は「割に合わない」市場だと判断した。これが撤退の真相です。

——割に合わないとは？

桜田教授　「100億ドル」の投資で言えば、彼らは投資金を4年間で回収します。年間2500億円の元本返済が必要です。利払いを5％とすると、単純計算で2656億円が必要です。例えば、大阪オンリーの『MGMリゾーツ・インターナショナル』の現状は、1カ月300億円、年間3600億円の現金支出があります。そうすると、先の元本支払いを加えると、6256億円が、日本開業での経費になります。これでいくと、20兆円もの賭博を組織しなければならなくなります。日本のパチンコの年間売り上げをそっくりそのまま、大阪であれば『夢洲』に持っていかなければ「割が合わない」ことになります。

投資の回収期間を7年と見積もっても、5兆円を超える賭博となります。ラスベガスの賭博の規模は3兆円規模なので、「ラスベガス以上に稼いでもらわないと」という話になります。この「100億ドルの初期投資の負担が重すぎる」というのは、「建設コストが高すぎる」という意味が含まれています。日本は地震国・災害頻発国ですから、建築基準も厳しい。建築原価が高ければ、業績評価での分母の資産が大きくなり、総資産利益率は低くなります。「現に数字が悪くなっている」のは否定しようがありませんから、最大のスポンサーであるヘッジファンドは、聞く耳を持ちません。

――そうすると、コロナ禍のなかで、スポンサーのヘッジファンドの意向が日本進出を断念させたということですか。

桜田教授　そうです。カジノ事業は資金調達を業績に敏感なヘッジファンドに依存しており、カジノ業者の体質そのものが日本市場への進出を禁忌としているのです。よほどの「裏事情」がない限り、カジノ業者が日本に進出する理由を見出すのは困難です。

ここで言う「裏事情」とは、世界のマフィアの「マネーロンダリング」の拠点に日本がなるということです。

そんななか、2021年1月11日にサンズのシェルドン・アデルソン会長が死去したとのニュースがネットを駆け巡った。さらにはこの前年、MGMのスタンレー・ホー会長も死去（2020年5月26日）しており、世界のカジノ界両巨頭の死が「日本カジノ」の今後にどう影響するのか、懸念はますます高まっているようだ。

「カジノ汚職」余波さまざま

「依存学推進協議会」と重なり大阪ＩＲ構想に飛び火

内閣府元副大臣の秋元司衆院議員＝自民党離党＝が、２０１９年12月25日、東京地検特捜部に逮捕・起訴され、５人の国会議員にカネが渡っていたいわゆるカジノ汚職事件。オンラインの宝くじを販売する贈賄側の中国企業『５００ドットコム』（以下、『５００』社）が、大阪カジノの推進グループと一体的な関係にあるＮＰＯ法人に資金提供していたことがわかった。

資金を受け取っていたのは『ＮＰＯ法人　依存学推進協議会』（以下、『依存学』、西村周三理事長）。『毎日新聞』（２０１９年12月30日付朝刊）によると、『５００』社は、『依存学』に年数十万円の研究資金を支払うとともに、２０１７年に開催されたシンポジウムの費用約50万円を負担したという。

『依存学』のホームページ（現在閉鎖）によると、役員・スタッフは西村理事長のほか、副理事長に谷岡一郎・大阪商業大学学長、理事に勝見博光・大阪府立大学21世紀科学研究センター客員研究員、村井俊哉・京都大学大学院教授、事務局長に税理士の吉田靖司氏などが就任している。

実は、『依存学』の役員は大阪湾の人工島・夢洲にカジノを誘致するため、大阪府・大阪市が2017年2月に設置したIR推進会議（座長・溝畑宏大阪観光局理事長）の委員と重なっていた。役員のうち谷岡氏（2019年3月辞任）、勝見氏（2018年3月辞任）の2人が委員として大阪カジノ推進に関わっていたのだ。

溝畑座長も『依存学』の元理事だった経歴がある。2019年12月24日、IR推進会議は「大阪IR基本構想（案）」を策定しその役割を終えたが、前後してカジノ汚職が発覚したことから、年明けに夕刊紙が「カジノ汚職　大阪IR構想に飛び火か」などと書き立てた。『依存学』とIR推進会議のメンバーが重複していたことから、さまざまな憶測を呼んだわけである。

筆者は6年前の2015年春、件《くだん》の『依存学』を取材し、記事にしたことがある。京都市に届け出ている『依存学』の住所は吉田会計事務所。事務局長の吉田氏は「勝見さんに頼まれた」そうで、自分の会計事務所を「連絡先」として貸しているだけの〝怪しい団体〟であることがわかった。

西村周三理事長

今回のカジノ汚職で『依存学』の名前が報じられたあとの1月中旬、改めて取材を申し込むと、『依存学』（といっても吉田会計事務所だが……）はこんな返事だった。

「窓口は大阪商業大学アミューズメント産業研究所のHさん。そちらに聞いてほしい」

アミューズメント産業研究所の所長は、IR推進会議の座長代理を務めた同大学の谷岡学長である。そこで同研究所のH氏に電話で『500』社からの研究費提供などについて聞いたところ「金額は多少異なるが、事実です。博報堂の紹介で『500』社の協賛を受けることになった。カネは博報堂を通じて受け取っている」と回答。そして現在、『500』社から依頼された同社所有の顧客情報＝ビッグデータの分析をしている最中だという。

「事件に驚いている。データ分析（3カ年計画）のため、2018年、2019年と資金提供を受けたが、中断せざるを得ないと思う。2020年はどうするか、状況を確認しているところです」

担当官僚が〝討論会〟で講演するIR戦略でのズブズブ関係

『500』社の電子版ニュースによると、同社は2017年7月に日本法人を設立。同年10月26日、藩正明CEO（当時）と『依存学』の西村理事長が東京都内で記者会見し、「ギャンブル依存症対策研究」を共同で行うと発表。その3日後の29日、『依存学』は東洋大学白山キャンパス（東京都文京区）で、「ギャンブル依存研究の最前線」をテーマにシンポジウムを開催した。先にも述べたように、このときの開催費を『500』社が持ったというわけである。

月刊『娯楽産業』電子版によると、シンポジウムには、藩ＣＥＯも出席し「ギャンブル依存症対策におけるビッグデータの役割」と題して講演している。オンラインカジノなど、同社が持つ約６０００万人のビッグデータを活用した「５００.com依存症防止システム」を説明し、『依存学』との共同研究にも意欲を示していたという。

同シンポジウムでは「ギャンブル依存研究の現状と将来」と題してディスカッションも行われた。内閣官房の中川真・現ＩＲ推進本部事務局長（当時は次長）が出席し、政府のギャンブル等依存症対策について報告した。

政府のＩＲ推進本部の本部長は安倍晋三首相（当時）で、副本部長は菅義偉官房長官（当時）である。ＩＲ戦略を担う要の官僚が、贈賄企業が資金提供した『依存学』のシンポジウムに出席し、政府の対策を報告していたのだから、トンでもないスキャンダルだ。

また、同シンポジウムには大阪商大の谷岡学長など『依存学』関係者も出席。『依存学』の窓口にあたる大阪商大アミューズメント産業研究所は「事件とは関係ない。博報堂に聞いて」と責任転嫁に躍起だ。

安倍晋三

カジノ事件が報道された直後の２０１９年12月、『依存学』のホームページが突然閉鎖された。「問い合わせが相次ぎ、混乱を避けるため」（同）と言うが、本音は汚職企業との関係を世間に知られたくなかったということがミエミエだ。

6年前の筆者の取材に対し「(IR推進会議の溝畑座長も) 勝見さんが大阪府特別顧問にリクルートした」(前アミューズメント産業研究所所長) という。

いわば〝カジノ屋〟を登用してきた大阪府・市の責任も問われている。

波紋広がるカジノ汚職事件の根本にあるもの

元内閣府副大臣の秋元司衆院議員が中国企業からの収賄で東京地検特捜部に逮捕・起訴されたカジノ汚職事件は、各方面に波紋を広げている。

図らずも、秋元逮捕はカジノを含む統合型リゾート施設(IR)を「成長戦略」の1つとして位置づけている安倍内閣と、誘致を表明または検討している自治体を直撃した。誘致・検討を見送る自治体は相次いでおり、当面、全国3カ所に限定されているカジノ設置場所をめぐる誘致レースは混沌《こんとん》としてきた。

2019年、国のIR意向調査で誘致を「予定・検討している」と回答したのは、北海道、千葉市、東京都、横浜市、名古屋市、大阪府・大阪市、和歌山県、長崎県の8地域。ところが、カジノ汚職発覚直前の2019年11月29日、北海道の鈴木直道知事は「自然環境への影響」を理由に突然、誘致申請取り下げを表明した。年明けの2020年1月7日、今度は千葉市の熊谷俊人市長も「台風被害」を理由にＩＲ誘致見送りを発表したのだ。

今回のカジノ汚職事件については、表面化した直後から「官邸内の権力闘争からくるもので、菅義偉官房長官潰しを狙った案件」（永田町関係者）と囁《ささや》かれていた。とりわけ、北海道の鈴木知事は「大学（法政）が同窓で菅官房長官の子飼い」と言われているほど親密な関係にある。

事実、夕張市長を務めていた鈴木氏を、２０１９年４月の北海道知事選に引っ張り出したのは、ほかでもない菅官房長官とされる。「ＩＲ誘致見送りも、菅官房長官と関係が深い鈴木知事が事前に特捜部の捜査を察知したから」（前出・永田町関係者）と、もっぱらだ。

鈴木知事が誘致見送りの理由に挙げた「環境問題」にしても、地元では早くから指摘されていたことで、どう見ても〝口実〟だ。というのも、今回の汚職事件で秋元議員への贈賄で加森公人会長が在宅起訴された北海道屈指の観光会社『加森観光』と夕張市とは、つながりがあったのだ。

加森観光の子会社『夕張リゾート』は、鈴木知事が夕張市長に就任（２０１１年４月）する前の２００７年から２０１９年３月まで、同市のスキー場などの観光施設を受託する指定管理者だった。一部ネットメディアは、鈴木知事の政治団体が加森会長の妻と同姓同名の人物から11万円の献金を受けているとも報道している。

もし、加森会長の妻だとすれば、当時、鈴木知事が市長をしていた夕張市の契約企業関係者から献金を受け取っていたことになり、それこそ不適切な行為を行っていたことになる。

同じく、撤退を表明した千葉市の熊谷市長は、秋元衆院議員の中国旅行に同行した自民党の白須賀貴樹衆院議員の紹介で、同社側と2度も面会していた。「台風被害の復旧が優先」は鈴木知事同様〝口実〟としか思えない。事件が自らに波及するのを恐れ、誘致の旗を降ろしたのではないか。

事件を機に消えた大阪と有力候補地になった佐世保

それでは、今後、カジノ誘致はどう展開していくのか。世界のカジノ事情にも詳しい阪南大学（大阪府松原市）の桜田照雄教授はこう解説する。

「日本の3カ所は、アメリカとマカオの大手カジノ業者の奪い合いです。東京はアメリカのラスベガス・サンズ、横浜はマカオのメルコリゾーツが有力です。東京、横浜の開設が決定すれば、大阪の芽はありません。なぜなら、カジノ容認は地方創生という題目があったからです。そうすると、〝残り1カ所は地方で〟ということになり、有力候補は北海道か長崎・佐世保。このうち、北海道は見送りとなりました。汚職事件の影響があったと思われます。それで3カ所目は佐世保になる可能性が出てきました。佐世保をめぐっては、アメリカのカジノ業者とアジアのカジノ業者が争奪戦を繰り広げることになりますね。いま佐世保にはカレントという香港系の業者が５５００億円の整備資金を出すと名乗りを上げていますが、バックはＳＪＭです。ＳＪＭもメルコも、元はといえば『マカオのカジノ王』といわれているスタンレー・ホー一族が運営するカジノ業者です」

それにしても、「大阪はＩＲ誘致のトップランナー」（吉村洋文・大阪府知事）を自負し、２０１９年12月から進出業者の公募をスタートさせるなど、完全に前のめり状態になっていた。その大阪が消える可能性があるとは驚きだ。

２０１９年10月、大阪・南港で開催された『ツーリズムＥＸＰＯジャパン２０１９』では、アメリカのＭＧＭリゾーツと日本のオリックス連合が「ＯＳＡＫＡ　ＯＮＬＹ」をアピールしていたが、本当のところはどうなっているのか。

「大阪が焦っているのは、カジノ業者に逃げられるのを恐れているから。１兆円投資契約を１日でも早く結ぶためです。しかし、〝大阪オンリー〟とＰＲしているＭＧＭの、カジノ業者の主戦場であるマカオのマーケットシェアでは、サンズの30％に対して、10％と６大カジノ資本の最下位です。要するに資金力が弱点なのです。大阪カジノの開設地とされている夢洲は、埋め立てを当初の５年から10年に延長した。沖縄の辺野古《へのこ》埋め立て同様、軟弱地盤なんです。いざ、着工したら途方もない時間とカネがかかる。大阪カジノはリスクが高いといわねばなりません」（桜田教授）

これまで、「安倍首相からトランプ大統領への〝貢ぎ物〟」といわれてきた日本のカジノ開設。ここらへんで1度立ち止まったほうが賢明だ。

カジノ汚職に群がった面々

秋元被告への贈賄罪を裁かれた3人の横顔

カジノを含む統合型リゾート施設（ＩＲ）事業をめぐる政界ルートの汚職事件で、東京地裁は２０２０年10月12日、衆議院議員・秋元司被告（48）＝収賄などの罪で起訴＝に計約７６０万円相当の賄賂を渡したとして贈賄罪に問われた被告２人に有罪の判決を言い渡した。

中国企業『５００ドットコム』（以下、『５００社』）元顧問の紺野昌彦被告（49）に懲役２年、執行猶予３年（求刑懲役２年）、仲里勝憲被告（48）に懲役１年10月、執行猶予３年（求刑懲役1年10月）だ。

同年９月25日には、同汚職事件で秋元被告への贈賄罪に問われた北海道札幌市の観光会社『加森観光』前会長・加森公人被告（77）に対し、東京地裁は懲役10月、執行猶予２年（求刑懲役10月）の判決をすでに下しており、これで1審で有罪を言い渡されたのは3人目となった。

加森公人

紺野昌彦

秋元司

紺野（外国為替及び外国貿易法違反・贈賄）、仲里（贈賄）両被告に対する判決の概要に触れる前に、汚職事件に登場する人物とその関係について、簡単に触れておこう。

まず紺野被告は、沖縄県及び北海道・留寿都《るすつ》村でＩＲ（カジノを含む特定観光施設）の設置運営事業を計画していた『５００社』の顧問を務めていた。仲里被告も『５００社』顧問の傍ら、沖縄総合研究所代表取締役の肩書を持っていた。

分離裁判になっている秋元被告は、２０１７年8月7日～２０１８年10月4日まで国土交通副大臣兼内閣府副大臣兼復興副大臣を務め、ＩＲの整備に関する事務について大臣を補佐する職務に従事していた。

同じく分離裁判になっていたのは、『５００社』副社長の鄭希（ジェン・シー）被告（２０２１年2月3日、東京地裁は、懲役2年執行猶予2年の有罪判決を下した）、そして、すでに有罪判決が下っている先の加森被告だ。加森被告は北海道・留寿都村でＩＲ事業を計画していた加森観光の代表取締役会長を務めていた（当時）。

判決によると、紺野、仲里両被告は、鄭被告と共謀のうえ、『５００社』が沖縄県および留寿都村でＩＲ事業を行うために、有利な取り計らいを受けたい趣旨の下で、２０１７年９月１日、秋元被告が管理する三菱東京ＵＦＪ銀行神楽坂支店に開設された『株式会社ＡＴエンタープライズ』名義の口座に２００万円を振り込み、同年９月28日、永田町の衆議院第一議員会館の秋元事務所で、同被告に現金３００万円を手渡した。

「贅《ぜい》を尽くした露骨な接待」の細目

さらに、同年12月27日〜29日までの間、秋元被告を中国・深圳《しんせん》およびマカオへの旅行に招待した。要した費用は航空運賃、宿泊代およびカジノの遊興費等計１８２万５０５４円だった。

また、紺野・仲里両被告は、鄭被告および加森両被告と共謀し、『５００社』と加森観光が留寿都村でＩＲ事業を行うために有利な取り計らいをしてもらうことを目的に、２０１８年２月10日〜同月13日まで、秋元被告とその妻子を留寿都村等への旅行に招待した。

その費用は航空運賃及び宿泊代など76万７２５円だった。いずれも、秋元被告の職務に関する賄賂に当たるとした。

紺野被告のもう１つの罪状である外国為替及び外国貿易法違法とは、同被告と鄭被告らが別の2人と共謀し、2017年9月27日、成田国際空港および関西国際空港で、中国・香港から航空機で入国する際、日本銀行券1500万円を無届けで持ち込んだというもの。うち賄賂の総額は約758万円相当になった。

それにしても、紺野・仲里被告は、どうやって秋元被告に食い込んだのか。その実態を判決文は『贅を尽くした露骨な接待』と指摘し、こう述べている。

《(紺野・仲里両被告は)中国企業の顧問として活動する中で面識を持った衆議院議員から、(秋元被告が)IR事業に関して直接の庶務権限を有する副大臣に就任する予定であることを知らされるやいなや、中国企業のIR事業参入を後押ししてもらいたいと考え、副大臣の印象に残りやすい時期を狙い、2回にわたって多額の金銭を供与。

そのうえ、プライベートジェットによる渡航・移動や高級ホテルへの宿泊のみならず、ショーのチケットやカジノのチップを提供し、高級ブランド品の購入代金までも負担するなど贅を尽くした露骨な接待に終始し、さらに、国内旅行の際も、副大臣の家族の分も含め、往復の交通手段から宿泊・飲食遊興に至るまで、程度の差はあれ、至れり尽くせりの特別待遇を行った》

紺野・仲里両被告の秋元被告への贈賄工作は、およそ半年間にわたって行われ、同被告との関係を深め、たびたび、IR関連立法について立ち入った内容の情報を入手していたという。

そもそも、秋元被告への一連の贈賄工作を行うことを決めたのは『５００社』のＣＥＯだった。海外旅行は秋元被告の希望で行われたもので、紺野・仲里被告は、『５００社』から高額の報酬をもらい活動していたという。

先に書いたように、９月25日に判決があった加森被告の罪状は贈賄で、同被告は留寿都村での自社事業の中心地にＩＲ事業を誘致したいと考え、秋元被告とその妻子をタダで同地への観光旅行を提供。要した航空運賃および宿泊代などは76万７２５円相当だった（賄賂総額計７５８万円相当に含む）。

カジノ汚職での「証人買収事件」の即日結審

前述したカジノを含む統合型リゾート施設（ＩＲ）事業の汚職に絡む証人買収事件。衆議院議員の秋元司被告＝収賄罪などでの罪で起訴＝と共謀し、贈賄側の偽証の見返りに現金の提供を持ちかけたとして、組織犯罪処罰法違反罪（証人等買収）に問われた元会社社長・淡路明人、同社役員・佐藤文彦両被告の初公判が２０２０年11月２日、東京地裁で開かれた。淡路、佐藤両被告は政治家である秋元被告の支援者だ。

検察側は両被告に対し、懲役１年２月を求刑。両被告は証人買収の起訴内容を認めた。弁護側は執行猶予付き判決を求め、即日結審した。12月15日に両被告に有罪判決が言い渡された。

検察側冒頭陳述などによると、淡路被告は２０１７年秋頃、知人の紹介で国土交通副大臣を務めていた秋元被告と知り合った。当時、淡路被告はマルチ企業『４８（よつば）ホールディングス』（北海道札幌市、設立２０１５年12月）の社長だった。淡路被告は、２０１９年８月に社長を辞任したが、佐藤被告は現在も同社の役員を務めている。

同社は設立当初から「クローバーコイン」と称する仮想通貨を販売していたが、２０１７年10月に消費者庁から特定商取引法違反（不実告知）で取引停止命令を受けている。クローバーコインは、新たな会員を獲得すると、報酬が得られる仕組み。業界紙によると、取引停止の時点で会員は約３万５０００人だった。

淡路被告は消費者庁の調査が入ったことから、秋元被告に相談。秋元被告が淡路被告側の言い分を同庁に伝えていたことを契機に、秋元被告の支援者になった。

以後、淡路被告は『４８ホールディングス』名義で、秋元被告の政治団体が主催する政治資金パーティー券を購入したり、知人を紹介するなど、さまざまな支援を行ってきた。

証人買収事件は、前述した秋元被告に対する贈賄で有罪が確定（10月12日）した中国企業『５００社』の紺野昌彦・元顧問に対して、虚偽の証言をする報酬として計３０００万円の提供を申し入れたもの。

〝証人買収に計3500万円〟の顚末《てんまつ》

2020年2月に保釈された秋元被告は都内で淡路被告と面談。秋元被告への贈賄300万円のカネに関して「公判で紺野元顧問にカネの受け渡しが行われた議員会館で会っていないと証言させる必要がある」と伝えた。その後、佐藤被告も加わり、秋元被告から「紺野はカネで転ぶ」と言われ、佐藤被告が実行役になった。

6月27日、沖縄・那覇市内のホテルで佐藤被告は紺野元顧問と会い、「秋元先生の裁判で、その日に秋元先生に会ってないと証言して、これまでの調書をひっくり返してほしい。供述は勘違いだと言えばいい」と迫った。虚偽の証言の見返りとして、1000万円を紺野元顧問に提示したが、拒絶された。

7月1日、淡路、佐藤被告から報告を受けた秋元被告は「紺野は絶対にカネで転ぶ。5000万円程度でいいはず」と両被告に伝えた。7月22日、佐藤被告は再び那覇市内のホテルで紺野元顧問と面会した。

「秋元議員と議員会館で会っていないと思うと言ってほしい」

前回同様、虚偽の証言を依頼、報酬は倍の現金2000万円を提示した。紺野元顧問は、佐藤被告に指示を出しているのが淡路被告であることを聞き出したうえで、2000万円を一旦預かり証拠として撮影した。

紺野元顧問は佐藤被告から接触があったことを捜査機関に報告し、7月26日に佐藤被告と那覇市内の飲食店で再び会い、２０００万円を返却した。淡路、佐藤被告には２０２０年12月15日、東京地裁で有罪判決が言い渡された。

一方、贈賄で有罪が確定した『５００社』の仲里勝憲・元顧問に対する工作も並行して進められた。

秋元被告は5月、経営コンサルタント会社代表の松浦大助被告（8月28日に証人等買収容疑で逮捕）と面会。もともと、秋元被告と松浦被告は知人だった関係で、仲里元顧問への買収計画を持ちかけた。松浦被告はここ数年、新興仕手グループの頭目として、株式市場で密かに注目されていた人物だ。

松浦被告は6月に、知人の会社役員・宮武和寛被告（8月4日に証人等買収容疑で淡路、佐藤両被告らと共に逮捕）と一緒に仲里元顧問と会食、7月にも秋元被告の指示で会っている。

松浦被告は用意した５００万円を示し、仲里元顧問に「一度、秋元議員の弁護士に会ってくれ。一生面倒みる」と申し入れたが、断られた。宮武被告は12月22日、杉浦被告は同月23日、東京地裁でそれぞれ有罪判決となった。

一連の証人買収事件に関わった被告は計5人で、用意されたカネは３５００万円に上った。

2016年8月、秋元被告の後援者だった淡路被告は山口県下関市で開催された関門海峡花火大会で『48ホールディングス』の幹部と共に、安倍前首相と並んで記念撮影している。この写真がクローバーコインの販売拡大に活用されたとされる。

2020年3月4日の参院予算委員会。日本共産党の田村智子議員は、同社が2016年9月頃から売上を急速に伸ばし「10カ月間で192億円を超えた」と指摘。「総理との写真が被害を拡大した」として、安倍首相（当時）を追及している。

それこそ、カジノは人を狂わす錬金術の魔法のようなものだ。

第五章　維新のカネと陰謀

暴かれる〝維新の正体〟

躍進する維新の内実はスキャンダルの山

２０１９年４月の大阪府知事＆大阪市長ダブル選挙で大勝し、府議選・大阪市議選でも躍進した大阪維新の会（日本維新の会の地域政党、以下・維新）。さらに同年７月の参院選挙でも東京、神奈川で議席を獲得するなどその勢いは止まらない。

次なる目標は、政策の「１丁目１番地」と位置づける大阪都構想だ。２０１５年５月17日投・開票の前回住民投票では僅差で反対票が上回り、当時、大阪市長だった橋下徹氏は政界を引退した。しかし、先の選挙での「民意」を背景に、都構想の是非を問う２度目の住民投票に向け、着々と準備を進めている。

２０１９年秋時点で、住民投票は２０２０年秋から冬にかけて実施される見通し（20年11月1日実施）。まさに向かうところ敵なしの維新だが、内実はスキャンダル疑惑の山だ。筆者は、維新ウォッチを長年行ってきているが、本章では以下、時々刻々のさまざまな問題にあたっていこう。

まずは、カネの問題から紹介したい。

維新の売りは「身を切る改革」。ところが、7月の参院選で公の書類の発送や通信などのため、歳費として国会議員に月100万円支給される「文書通信交通滞在費（文通費）」を、現職国会議員21人（当時）全員が、自分宛に領収書を発行していたことが発覚した。

維新が公開している文通費の使途報告書（2015年10月〜2019年3月分）によると、受け取った文通費は計約7億6000万円。うち議員が自分宛てに領収書を出し、自身が代表の政党支部や資金管理団体などに寄付していたのは7割超の約5億7000万円にのぼっていた（『日刊ゲンダイ』2019年7月19日付）。同報道を受け、ネット上では「セルフ領収書」「マネーロンダリング」などと、維新の「身を切る改革」を批判する書き込みが相次いだ。

そこで維新の本拠地、大阪選出の国会議員を例に、「身を切る改革」の正体を明らかにしたい。

東徹

7月の参院大阪選挙区（定数4）で約66万票を獲得し2位で当選した東徹参院議員から見てみよう。ちなみに、トップ当選は同党の梅村みずほ参院議員。

大阪維新の会の創設メンバーでもある東参院議員は、選挙公報で「維新の国会議員は、身を切る改革、実行中！」との公約を掲げ、

「文書通信交通滞在費（月100万円）使途を公開」をうたっている。文通費は報告・公開の義務がないため「国会議員の第2の給与」との批判があるなか、「使途の公開」を「身を切る改革」の典型例として打ち出しているのだ。しかし、東参院議員のその「使途」はなんとも怪しい限り。

〝文通費〟を「政治資金」とみなす灰色の維新のカネ

維新のホームページによると、2017年、東議員が代表を務める「参議院大阪府選挙区第1支部」に文通費865万9443円を寄付。内訳は国政スタッフ1名の478万5000円、駐車料金20万円、事務所賃貸料126万円の計624万5000円。寄付した865万9443円のうち、使途が明記されているのは624万5000円分だけ。その差額240万5943円は使途不明金ということになる。

同支部の総収入は2899万545円。うち政党助成金は1000万円。文通費と合計すると1865万9443円で、総収入に占める割合は64・3%だ。

収入の100%を〝税金〟で賄っている議員もいる。

例えば、浦野靖人衆院議員が代表の「衆議院大阪府第15選挙区支部」の2017年収入総額は1963万7890万円。内訳は文通費からの963万7890円と政党助成金1000万円。つまり、収入の１００％が税金ということになる。

高木かおり参院議員が代表の「参議院大阪府選挙区第３支部」も同様。同年の収入１６２０万１５３７円のうち、文通費からの寄付６２０万１５３７円と政党助成金１０００万円で１００％を占めているのだ。

浅田均参院議員が代表の「参議院大阪府選挙区第２支部」の場合、同年の収入１０００万円は１００％政党助成金。同議員は文通費を資金管理団体「浅田会」に寄付していた。

その過激な発言から「維新のトランプ」の異名を持つ足立康史衆院議員。８月に〈パワハラ国会議員　暴言に耐えかねて秘書が消えた〉（『フライデー』２０１９年８月16日号）と報じられた同議員は「衆議院大阪府第９選挙区支部」へ文通費５０７万２４１０円を寄付（２０１７年）。政党助成金１０００万円と合計した１５０７万２４１０円は、収入総額（１６８９万７８１３円）の89・２％。

足立康史

このほか、井上英孝衆院議員が代表の「衆議院大阪府第１選挙区支部」の総収入に占める文通費と政党助成金の割合は98・２％、代表が馬場伸幸衆院議員の「衆議院大阪府第17選挙区支部」は38・２％、遠藤敬衆院議員の「衆議院大阪府第18選挙区支部」は69・７％となっている。

また、谷畑孝衆院議員の「衆議院大阪府第14選挙区支部」は政党助成金だけで総収入の68・4%を占めており、文通費は前述の浅田参院議員と同じく資金管理団体に寄付している。

『政治資金問題から見える「維新の正体」』をブログで連載している神戸学院大学法学部教授の上脇博之氏は、維新の文通費疑惑についてこう指摘する。

「そもそも、文通費を政治活動や選挙運動、人件費などに充てることは禁止されています。ところが、維新の会は、文通費を勝手に『政治資金』とみなし、使途報告書も政治資金の政治収支報告書とみなし、書式を参考にして『経常経費』『政治活動費』とし、なおかつ、政党支部、管理団体への寄付も認めている。〝使途〟は限りなく違法に近い。『身を切る改革』どころか、政治資金として還流することで身を肥やしているに等しいのです」

維新のカネは灰色だ。

「盗聴」に等しい維新の無断録音の横行

「取材されている最中、毎日の記者が気づき、私は〝あっ！〟と驚きましたね。振り返ると、職員が私の顔の高さでICレコーダーを堂々とかざして録音していたんです。こんなことされてるなんて、初めて知りました。公務員としては逸脱行為です。2人の弁護士からリーガルチェックも受けましたが、明らかに憲法違反。取材の自由、表現の自由を侵す行為だということでした。10月初旬の大阪府・大阪市の両議会で取り上げ、追及します」

大阪都構想をめぐり、２０１９年６月、記者が個別で議員に取材していた内容を府と市の職員が無断で録音していた問題について、当事者である自民党大阪市会議員団幹事長の北野妙子市議は、当時の様子を振り返りながら、今後の自民党の対応をこう断言した。

無断録音が露見した発端は、６月21日。大阪府庁で開かれた大阪市を廃止して特別区に分割する、いわゆる大阪都構想の制度案を議論する『大都市制度（特別区設置）協議会』（法定協）の会合終了後だった。

『毎日新聞』の記者が府庁内の廊下で北野市議を取材中、府と市の共同部署で都構想を担当する「副首都推進局」の職員が同議員の背後に立って、ＩＣレコーダーで記者とのやり取りを無断で録音していたのだ。『毎日新聞』記者は即抗議し、中止を求めた。

北野妙子共同代表

同時刻、大阪府庁内で自民党府議団幹事長の杉本太平府議も、同じく毎日新聞の取材を受けていたが、これまた、別の職員が背後から無断録音していたことが記者の指摘で露見。組織的な無断録音が行われていたことが判明したのだ。

無断録音問題で松井一郎市長は24日、記者団に「議員という公人が廊下で取材を受けていたわけで、なんら問題ない」「役所として内容を把握したいというのは当たり前。今後も認める」と正当化。この問題で新聞労連（日本新聞労働組合連合会）は翌25日、「行政機関が記者の取材内容を密かに収集し、記録化することは、取材の監視につながり、『報道の自由』を侵害するものです。ただちに中止することを求める」との声明を発表した。

これに対する記者団からの質問に松井市長は26日、「市の施策を実行する上で、オープンなスペースでの公人の発言を情報収集すると言ってるだけだ。言論の自由に何ら制約をかけているわけではない」などと反論、完全に開き直った。

副首都推進局職員が各政党の選挙対策までも無断録音

副首都推進局によると、録音は法定協の初会合が開かれた2017年6月以降、毎回行われ、テープ起こしした記録を作成していたという。

筆者の「なぜ無断録音していたのか」との質問に同局担当者はこう答えた。

「法定協の委員の先生方が記者の取材にどんなお話をされるのか、法定協の運営に資するため、やっていた。しかし、『盗聴』という形で報道されたので、問題にされた以降は録音していない。市長や知事には報告していない。あくまで内部の参考資料として事務局で共有していた」

今後については、

「いったん録音という行為は中断しましたが、その後、市長も含めて、『ちゃんとしたルールを記者クラブとの間で作ってやらなければよくない』と判断し、記者クラブと話し合うことにしていますが、まだ話し合いもやっていないし、合意したものは何もない」

記者クラブとの合意、ルール作りといったレベルの話ではない。無断で録音された議員から〝盗聴〟とのそしりを受けるのは当然であり、まるでどこかの独裁国家がやっている行為と変わらないではないか。

大阪市議会の調査やマスコミの情報公開請求では、2017年6月から2019年3月までの間に、少なくとも130件の発言録が作成されていたことが判明した。大阪維新の会、自民党、公明党、共産党の議員に対する記者の個別取材が記録され、大阪ダブル選挙や統一地方選挙、さらに参院選挙の対応など都構想制度の議論とは直接関係のない内容まで含まれていた。

密かに録音され記録されていた1人、共産党市議団団長の山中智子市議はこう怒る。

「公務員のすべきことではない。もう、知事や市長の私兵になっている。それがわからないほどひどくなっている。情報収集というけれど、日頃から打ち合わせの場や議会で私たちの思いはちゃんと職員に伝えている。しかも、都構想とは直接関係のない〝選挙で誰が立候補する〟とか政治的なものも含まれている。そんなことを職員が無断で録音し、テープ起こししていたなんて……」

冒頭の自民党の北野市議も改めてこう強調する。

「私は自民党大阪市会議員団の幹事長という立場なので、取材を受ければ参院選挙のこととか、あるいは知事選、市長選のダブル選のことなどいろんなことを聞かれたら、普通に答えますよね。それが無断で録音され記録されていたというわけですから、副首都推進局の言い分である『法定協の運営に資するため』というのはグレーではなく、はっきり、クロだったわけです。過去2年間にわたって、議員の囲み取材のとき、行政が無断録音していたことは、記者クラブも議員もうすうす知ってはいたそうです。みんな感覚がマヒしていたんですね。それが今回、毎日の記者の追及で世間に明らかになったんです」

維新政権下、まさに「スパイ天国」がまかり通ってきたということになる。

疑問ある「大阪都構想」の歳出削減根拠数値と算出法

2019年春の大阪府知事&大阪市長ダブル選挙大勝の「民意」を背に、大阪市を廃止し4つの特別区にする大阪都構想の是非を問う2度目の住民投票に向け突き進む大阪維新の会。ここへきて「経済効果額は10年間で最大1兆1409億円」と謳《うた》う委託調査報告書が「お手盛り調査報告書」と疑問視する声が相次いでいる。同報告書をまとめた嘉悦大学付属経営経済研究所（所長・真鍋雅史嘉悦大学教授）が、そもそも維新人脈で構成されているからだ。

『大都市制度（総合区設置及び特別区設置）の経済効果に関する調査検討業務委託報告書』が公表されたのは２０１８年７月11日。維新の会が主張する人口約２７０万人の大阪市を廃止して、４つの特別区にすれば、10年間で最大１兆１４０９億円の歳出削減効果があるという内容だ。公表当時から根拠となる数字と計算の正確さに疑問の声が上がっていた。

例えば、「都構想案」には欠かせない「U字」仮説を検証してみよう。

同報告書は〈人口と（1人当たり）歳出の関係を図に表すと、U字の関係となることが知られている。すなわち、地方自治体の財政構造は人口が増加すると、規模の経済性が働き、住民1人当たりの歳出が抑えられる。一方、人口規模の拡大は、きめ細かな行政サービスを困難にさせる。補完性の原理の恩恵を失わせてしまうため、過度に人口規模が大きくなると住民１人当たりの歳出は拡大してしまう。結果として住民１人当たりの歳出が最小になる、言い換えれば最も効率的に財政運営を行える人口規模が存在すると考えられる〉とし、〈1人当たりの歳出が最小になる人口はおおよそ50万人前後であることがわかる〉と結論づけている。

大阪市、横浜市、川崎市、浜松市、岡山市の５都市の散布図が掲載されているが、誰が見ても「U字」型にはなっていない。フラット型I型に近いのだ。全国市町村（約１７００）の散布図もまた同様に「U字」型にはなっていない。

なぜ、結論と散布図がこうも違うのか。

同報告書を読むと、５都市のうち、「大阪市は浜松市と共に行政区の予算に人件費を計上している」とある。残り3市は「人件費」は計上していない数字なのだ。

誰もが知っている通り、歳出に占める「人件費」の割合は高い。大阪市は「人件費を計上した」数値を公表しているのに、なぜ、同報告書の経済効果ではその数値を使わなかったのか。ひと言で言えば、歳出が上がるから恣《し》意《い》的に数字を組み合わせて都合のいい結論を導き出しているということになる。

「経済効果」どころか住民サービス低下のまやかしの都構想

２０１９年8月26日に開かれた『第25回大都市制度（特別区設置）協議会』（法定協）で、同報告書が議論され、自民党の川嶋広稔市議は「効果額が水増しされている疑いがある」と指摘、シミュレーションのやり直しを求めた。

共産党の山中智子議員は府内自治体の１人当たりの歳出額から「50万人程度を底にU字カーブを描くことになっていない。４つの特別区をつくっても、大都市でなくなるわけでも、物価や人件費が下がるわけでもない。『経済効果』どころか、住民サービス低下で、市民にいいことは何１つない」と主張した。

ところで、同報告書はどういう経緯で出てきたのか。

担当の副首都推進局などによると、２０１８年当初、「経済効果額」の委託調査を応募参加型のプロポーザル方式で試みたが、応募者はゼロ。このため同年4月に再度実施し、嘉悦大学とみずほ総合研究所の2者が応募。審査の結果、嘉悦大学が選ばれた。落札額は９９９万９４２９円だった。

同報告書をまとめた嘉悦大学付属経営経済研究所所長の真鍋教授は、２０１４年１月に開催された橋下徹市長、松井一郎府知事（いずれも当時）による「府市再編に関する有識者ヒアリング」で、大阪都構想の経済効果を「年間４０００億円」と語っていた人物だ（当時は兵庫県立大学准教授）。

嘉悦大学といえば、橋下市長時代、特別顧問を務めた高橋洋一氏が教授であることで知られ、同氏が会長に就任しているコンサルタント会社『政策工房』の社長・原英史氏も現在、市特別顧問に就任している。

橋下徹

同大学付属研究所の前所長は、同大学で副学長を務めた跡田直澄氏（現京都先端科学大学教授）だ。跡田氏は２０１８年11月６日に開かれた第15回副首都推進本部会議に同大学研究所客員教授の肩書で、先の真鍋所長らと共に出席し、同研究所がまとめた大阪都構想の経済効果を説明している。

また、慶応大学教授だった頃の跡田氏は堺市の「市行政見直し懇談会」会長を務めていた。その際、同氏が役員を務める企業に堺市が2004年から15年契約で総額約51億円の下水道関連事業を発注していたことがマスコミ報道で発覚し、大問題になったことがある。

まだある。跡田氏が嘉悦大学付属経営経済研究所の所長時代、同研究所のアドバイザリーボードに就任していたのが竹中平蔵氏（当時、慶応大学教授）だ。竹中氏は、維新の会が国政選挙に進出する際、候補者選びを任されたほど維新の会とは深い仲だ。こうみてくると、「1兆円」の経済効果額もまた、〈躍進する維新の内実はスキャンダルの山〉の項で触れた「セルフ領収書」ならぬ、「自作自演」と指摘されても仕方がない。

大阪都構想問題に詳しい奈良女子大学の中山徹教授はこう指摘する。

「数字をもう一度洗い直して丁寧に計算する必要がある。マイナスに一言も触れていないこともおかしい」

再度の住民投票より、まやかしの「大阪都構想」の検証が先だ。

コロナ禍で見出された〝維新10年〟の実像

「二重行政のムダ」を理由に医療破壊・放棄の10年

２０２０年４月19日に結成10年を迎えた大阪維新の会（代表・松井一郎大阪市長）。党是である大阪市を廃止する大阪都構想の是非を問う住民投票が否決されたのが、５年前の５月17日だ。

末曽有《みぞう》のコロナ禍で出されていた非常事態宣言が５月25日に日本全国で解除され、安倍晋三首相はコロナ禍の「収束」を宣言した。しかし、この秋・冬の第２波、第３波を予測する専門家は多い。そうなれば、「医療崩壊は避けられない」と言うのが、医療現場の声だ。

そんななか、松井氏を代表、吉村洋文府知事を代表代行とする大阪維新の会はコロナ第２波に備えて万全の医療体制を構築し、府民の命と暮らしを守るために予算を投入すべきこの時期、再び大阪都構想実現のため、11月の住民投票に向けて突き進んだ。

《僕が今更言うのもおかしいところですが、大阪府知事時代、大阪市長時代に徹底的な改革を断行し、有事の今、現場を疲弊させているところがあると思います。保健所、府立市立病院など。そこは、お手数をおかけしますが見直しをよろしくお願いします》（２０２０年４月２日）

４月２日といえば、新型コロナウイルスの日本での感染爆発の危機が叫ばれていた。発信者がほかならぬ前維新代表の橋下徹氏だったことから、同ツイートは世間の物議をかもした。

橋下氏自らが認めるとおり、維新10年は、「二重行政のムダ」を理由に、本来、行政が担う任務である公衆衛生・公的医療を破壊、放棄する〝10年〟だった。

その1つが大阪市立住吉市民病院（2018年3月末廃院、住之江区）だ。2020年5月中旬、筆者が訪れた同病院には重機が入るなど解体工事中で、無残にも瓦礫《がれき》の山と化していた。それにしても、なぜ大阪市立住吉市民病院は廃院になったのか。話は橋下氏が大阪市長に就任したばかりの2012年に遡《さかのぼ》る。

老朽化した住吉市民病院は、平松邦夫前市長が現地建て替えを決定（2011年12月）していた。それが大阪府知事と大阪市長のいわゆる2011年ダブル選挙で、橋下氏が知事から市長に転身し、現地建て替え方針を転換した。2012年3月、住吉市民病院の2キロメートル東に大阪急性期・医療総合センター（大阪市住吉区）があることから「二重行政のムダ」として、大阪市立住吉市民病院の廃院と大阪急性期・医療総合センターとの統合を言い出したのだ。

大阪市立住吉市民病院は1950年に開設された病床数198の総合病院だった。大阪市南部地域の地域医療を担うとともに、小児科・周産期医療の拠点病院としての役割を果たし、「気軽に通院、入院できる母親や子どもにとって必要不可欠な病院」として慣れ親しまれてきた。

それが橋下市長になった途端、突然の廃院・統合――。地域の母親はもちろん、地元医師会

解体工事に入った旧住吉市民病院

からも怒りの声が起こり、「住吉市民病院廃止」反対運動が広がり、病院の現地存続を求める署名は7万人に達した。

地域医療の宝だった住吉市民病院の廃止決定

２０１３年３月、市議会で維新などが廃止条例を強行可決。同時に市の責任で跡地に民間病院の誘致を求める付帯決議が採択された。しかし、大阪市は民間病院の誘致を４回行ったが、いずれも失敗。誘致を断念した経緯がある。

そして、吉村洋文市長（当時）のときに打ち出されたのが、大阪市立弘済院（大阪府吹田市）の住吉市民病院跡地への移転計画だった。言うまでもなく、吉村氏は現大阪府知事で、大阪都構想の否決で引退した橋下氏に代わって市長に選出（２０１５年）された。

もともと、弘済院は高齢者の認知症専門の病院。吉村氏の最終的な狙いは、住吉市民病院跡地に大阪市立大学医学部付属の研究病院を移転させるというもの。２０２４年に開院予定していたが、１年遅れるとみられている。

いずれにせよ、地元住民が跡地に望んでいるのは、移転・新設される病院に、小児科、産婦人科を設置すること。住吉市民病院が廃止されることが決まった際、住民側とも約束している。

現在、住吉市民病院の跡地には、小児科週５回、産婦人科週３回、開院する平屋の住之江診療所が臨時的に設置されているが、同建屋はそのまま併設して使う方針だ。

『地域医療（住吉市民病院）を充実させる市民の会』の辻井大介事務局長は、住吉市民病院の廃院がもたらした地域医療の破壊についてこう指摘する。

「市はカネのムダ遣いということで、大阪急性期・総合医療センターの中に府市共同母子センターを作りましたが、住之江からの直通バスは一つしかない。便数も少なく大変混雑することがあります。西成区のお母さんがかかりつけの共同母子センターに、出血&高熱を出した1歳の娘さんの救急受け入れを求めた際、断られた事例もあります。地域には社会的リスクを抱える方も多く、10代での出産や未受診妊婦の受け入れ、重度心身障害児のショートステイの受け入れなど、住吉市民病院は地域医療の宝でした。１日でも早くこの医療を取り戻してほしいし、新病院には小児、周産期のベッドが不可欠です」

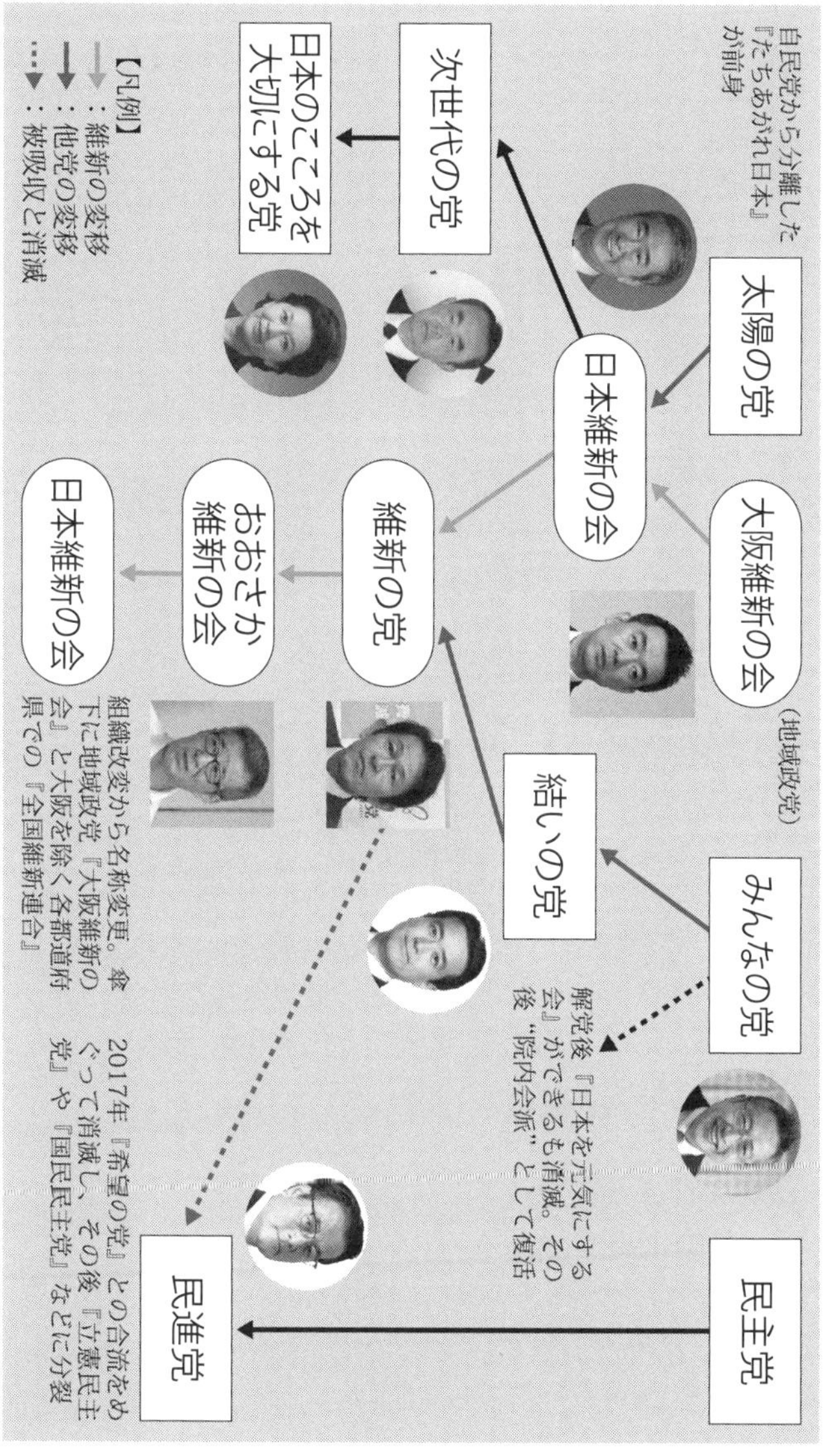
自民党から分離した『たちあがれ日本』が前身
太陽の党
大阪維新の会
（地域政党）
みんなの党
民主党
日本維新の会
結いの党
解党後『日本を元気にする会』ができるも消滅。その後"院内会派"として復活
次世代の党
維新の党
日本のこころを大切にする党
おおさか維新の会
日本維新の会
組織改変から名称変更。傘下に地域政党『大阪維新の会』と大阪を除く各都道府県での『全国維新連合』
2017年『希望の党』との合流をめぐって消滅し、その後『立憲民主党』や『国民民主党』などに分裂
民進党
【凡例】
：維新の変移
：他党の変移
：被吸収と消滅

「維新10年」の推移図

「住吉市民病院は二重行政のムダだった」。こんなことを続けているようでは、コロナの次の波に立ち向かえるのか疑問だ。事実、大阪モデルの非科学性を問う声も上がっている。

コロナへの「大阪モデル」はどう機能しているのか？

新型コロナウイルスの感染拡大で休校が続いていた近畿各府県で、2020年6月1日から約3カ月ぶりに学校が全面再開するとともに、1カ月半にわたる休業要請も解除された。その一方で「医療現場はこの間の第1波でもう限界。このまま第2波、第3波が来れば、医療崩壊の恐れがある。いま、この時期にこそ、公衆衛生・医療体制の充実を」という声が医療現場から上がっている。

一躍有名になった『大阪モデル』（大阪府独自の基準による自粛要請・解除及び対策の基本的な考え方）。大阪府民の健康と命を守る現場の最前線を担っている府職員で構成する『大阪府関係職員労働組合』（府職労）の小松康則委員長にその実態と、いま何が必要なのかを聞いた。

――未曽有のコロナ禍で大阪府の医療現場はいまどうなっていますか。

小松委員長　新型コロナウイルス感染症の拡大で大阪府では保健所、府立病院、大阪健康安全基盤研究所、危機管理室、健康医療部、商工労働部など各部局からの応援を含め、職員が最前線で働いています。

　現場では休んでいる暇がありません。保健所の感染症チームリーダーは土日も出勤し、4月の時間外労働が170時間を超えている職員もいます。ベテラン・中堅の保健師が少なく、チームの大半が採用5年目未満の保健師ということもあって、結核など他の感染症対策もやりながら日々のコロナ対策に追われている。そのなかで全体を把握し、フォローしなければならない。

　保健所では、新たな陽性者や濃厚接触者への対応だけでなく、自宅やホテルで療養している人にも毎日電話連絡し、症状の悪化がないか対応しています。毎日、報道発表等に間に合わせるため、報告書や資料作りにも追われています。

　府民からの電話相談は、コールセンター（民間委託）で受け付けていますが、対応しきれない電話は夜間であっても保健所に回ってきます。保健所に配置されている携帯電話では対応できないため、職員個人の携帯電話も使っている状況です。

小松康則委員長

　5つある大阪府立病院のうち、2つの病院がコロナ病棟をつくっています。ただ、地方独立行政法人で府直営ではありません。維新府政になってから職員も非公務員です。府から運営負担金は出ていますが、原則は自前で稼がなければ成り立たない病院です。

そこで働く看護師さんの数にも限りがあり、4月の夜勤が10日という人もいます。「人工呼吸器をつけた患者さんの介助中は必死で、感染の恐怖を感じる余裕すらなかった」と言い、勤務を終えたあとは不安でいっぱいになるそうです。

維新府政になってから激減した医療職員と保健師

――維新府政になってから、公衆衛生・医療現場はどうなったのですか。

小松委員長　公衆衛生・医療分野の縮小・切り捨ては、20年ほど前の小泉構造改革路線の頃から始まりました。公務の仕事を減らし、民間に委ねるという考えです。1994年に国の保健所法が改正され、2004年に29あった府内の保健所のうち、14保健所・支所が廃止されました。

府の保健所は中核市に移管されるようになり、府直轄の保健所はいま9カ所です。人口270万人の大阪市の保健所はわずか1カ所で、同じく政令市の堺市、7つの中核市を含めて大阪府内の保健所は現在18カ所まで減らされました。

2008年に橋下（徹）さんが知事になってから職員基本条例が作られた。職員を減らし続けた結果、大阪府の職員数も1995年当時、1万7000人いましたが、いまは8500人。この25年間で半減しています。

橋下さんの前の太田房江知事（現自民党参院議員）時代に、全国の公立病院で初めて地方独立行政法人化した府立病院は、当時はまだ職員は公務員でしたが、２０１４年に非公務員型にしました。また２０１７年、松井一郎大阪市長が知事の時代に、府立公衆衛生研究所を「二重行政のムダ使い」として、研究目的が異なる大阪市立環境科学研究所と統合させて、地方独立行政法人・大阪健康安全基盤研究所にして職員を非公務員化にしました。

いま、行政で新型コロナウイルスのＰＣＲ検査をやっているのは、大阪健康安全基盤研究所です。大阪府は人口比では職員数も保健師数も全国最低水準です。

――そうなると、危惧《きぐ》される第2波、第３波が来ると、どうなりますか。

小松委員長　公衆衛生、病院などは20年前の府立直営に戻し、人減らしの職員基本条例など、職員がモノが言えない雰囲気を作っている、いくつもの職員管理・監視条例を撤廃して、職員を増やすなど府庁一丸となった体制にしないと立ち向かえないと思います。それと、いまの吉村洋文知事もそうですが、橋下知事のときからトップダウンが続いています。吉村知事がテレビで発言して初めて職員が知るといったことが相次ぎ、現場はそのたびに混乱しています。

トップが現場の声を聴くボトムアップでなければ、組織はダメになります。「最後は自分が責任を取る」と言っていますが、知事が辞めたら済むという問題ではありません。全国に誇れる感染症対策、公衆衛生と医療を充実させる「大阪モデル」にふさわしい体制強化が必要です。

大阪都構想「虚像」の実状

真っ赤な嘘だった『特別区設置における財政シミュレーション』

市民プール24カ所が9カ所に激減——。

大阪市を廃止し4つの特別区に分割する、いわゆる大阪都構想をめぐり、推進派と反対派が議論を闘わせているが、特別区になっても「住民サービスの継続」は真っ赤な嘘であることが判明、各方面に波紋を広げている。

大阪府・市議会で『大阪維新の会』、『公明党』などの賛成で可決された特別区設置協定書で「特別区設置の際は、大阪市が実施してきた特色ある住民サービスについては、その内容や水準を維持する」と明記している。しかし、実際は市民に身近な住民サービスが次々切り捨てられていく内容だ。市民が事実を知れば知るほど、住民投票の賛否に影響を与えそうだ。

2020年8月26日の大阪市議会都市経済委員会で自民党の前田和彦市議が暴露、追及したことが発端となった。

それによると、大阪府・市合同の副首都推進局は『特別区設置における財政シミュレーション・更新版』を8月11日に決定。「特別区の収支不足は発生しない」としている。

更新版では、大阪市廃止による改革効果額（経費削減額）は、大阪万博開催年（２０２５年度）の61億円から順次増え、２０３４年度には１１９億円に達するとしている。

このうち大阪市24区すべてにある市民利用施設の市民プール、スポーツセンター、老人福祉センター、子育て支援センターの４事業の改革効果額は、２０３４年度17億円の見込みを示している。

前田市議は、同委員会で「例えば、24区のプール運営のため、現在20億円の維持費と修繕費1億円の計21億円の予算を投入している。いまでも民間委託で、これ以上削れない予算で運営されているのに、財政シミュレーションでは、市民プールだけを見ても12億円のコスト削減となっている。４事業の改革効果額は合計17億円。いったい、この数字の根拠はどこからきているのか調べたところ、これまでの『市政改革プラン』であることがわかった。しかし、市政改革プランの議論で市は『これまでの改革プランの数値は生きていない』と答えている。『どうしてこういう数値が出てきたのか』と質したら、市当局は『(財政シミュレーションの数値は）２０１２年度に作られた市政改革プランの数字』……」と内幕を明かしているのだ。

前田和彦

『市政改革プラン』では、市民プールは現在の24カ所から9カ所、スポーツセンターは同24カ所から18カ所、老人福祉センターは26カ所から18カ所、子育て活動支援事業は24カ所から18カ所に減らすことがはっきりと記載されている。

改革効果額の内訳は、市民プール・12億100万円（修繕費を含む）、スポーツセンター・1億9000万円、老人福祉センター・1億6500万円、子育て活動支援事業・1億2800万円の計約17億円。文字通り、財政シミュレーションの数値そのものだ。

維新の追い風「菅政権」からの超法規的振る舞い

前田市議は〝生きていない〟はずの市政改革プランから「改革効果額」をこっそり復活させ、大阪都構想の財政シミュレーションに潜り込ませていることを指摘し、「協定書では〝住民サービスは維持する〟と明記している。市民に嘘をついていることになり、行政がやることではない」と厳しく批判した。

17億円のうち12億円を占める市民プールの利用者は、24カ所で年間延べ247万7000人にも上る。真田山《さなだやま》（天王寺区）など5カ所は屋外プールも併設しており、利用料金は子ども（16歳未満）と高齢者（65歳以上）は350円と安い。

市民に利用されている施設を大量に削減する裏では、大阪都構想の正体が見え隠れする。2

012年度の市政改革プランは、橋下徹市長時代である。橋下市長在任中にはさまざまな市民サービスを廃止、メッタ切りにした。この際とばかりに大阪都構想の名を借りて、行政改革の総仕上げをしようとする魂胆がミエミエなのだ。

松井一郎大阪市長は、同委員会での前田市議の質問に対し「あくまでシミュレーションで予想の範囲。長期的には黒字になるのでサービスは維持できる」などと強弁した。

「安倍政権の継承」を宣言した菅首相は、コロナ対策で一躍、全国的人気者になった吉村洋文大阪府知事、松井市長、そして、橋下氏の維新ラインと特別な関係にある。その菅首相の肝煎《きもい》りで、新内閣には大阪万博担当大臣（自民党・井上信治衆院議員）ポストが新設された。

菅政権発足で勢いに乗る維新だが、超法規的な振る舞いも絶えない。例えば、『朝日新聞』デジタル版（2020年9月7日付）にはこうある。

《市選挙課によると、8月下旬に投票用紙案の説明を受けた松井一郎市長は「大阪市を廃止」ではなく「大阪市役所を廃止」とできないかと異論を唱えたが、市選管の4人の委員の判断で、変更しないことを決めたという。

市選管の大丸昭典委員長（元自民党市議）は記者団に「住民投票での市長は、選挙で言えば候補者と同じ立場。候補者が選管に〝ああせい、こうせい〟と言うことはない」と述べ、松井市長の姿勢を批判した》

5年前の住民投票で市民にノーを突き付けられた大阪都構想を再び持ち出し、ゴリ押しする維新には、市民本位の政治など期待できない。

PR一辺倒の都構想向け2020年住民説明会の異常事態

「二重行政の解消と住民サービスの充実を目指す」

大阪市を廃止して4つの「特別区」に分割する、いわゆる大阪都構想の住民投票（10月12日告示、11月1日住民投票）に向けた大阪市主催の住民説明会が9月26日から10月4日まで計8回行われた。

松井一郎市長と吉村洋文府知事は制度案のメリットを繰り返し主張。前回2015年の住民投票の説明会（計39回）では、賛成・反対の各党の意見をまとめたチラシが配布された。

今回はというと、大阪維新の会の主張に沿った市作成パンフレットのみが配布され、質疑もわずか20分間。大阪都構想PR一辺倒の、それこそ松井市長と吉村府知事独演の異常な説明会となった。

住民投票で都構想が賛成多数で実現すれば、2025年1月をもって特別区へ移行され、市民プールなど住民サービスは大幅に削減されることを前述したが、コロナ禍の影響で特別区の財政も成り立つ保証がないことも明らかとなっている。

特別区の制度作りを担う大阪府・市合同の副首都推進局は8月11日、財政シミュレーションの更新版を発表。この中で、特別区設置の日を２０２５年１月１日と明記し、特別区の15年間の財政収支（２０２５年度から２０３９年度）を試算している。

しかし、この試算は学校給食無償化（77億円）以外は、収束の見通しがたっていないコロナ対策の市負担は加味していない、パンデミック以前のもの。収入は改革効果額を15年間で１５４７億円上積みすることで、特別区では「収支不足は発生しない」ことになっている。つまり、「黒字になる」と結論づけているのだ。

改革効果額の約70％（１０４７億円）を占めるのは、大阪メトロからの配当金と税収だ。２０２５年度に53億円、翌２０２６年度から毎年71億円の改革効果額が出ると試算している。

財政シミュレーション更新版と同じ日に発表された大阪メトロの２０２０年度第１四半期決算（4月～6月期）が興味深い。同決算では、コロナの影響で乗客が激減し営業収益は２７１億円の前年同月比42・2％減、純損失は39億円となっている。２０２０年度の業績予想も、新型コロナウイルス感染症拡大の収束時期が不明なため、「非常に困難」で「未定」としている。

財政シミュレーション更新版は、大阪メトロの〝未定〟の配当などをカラ計上し、「特別区は黒字」と市民にアピールしたのだ。

コロナ禍で「財政計画」破綻でも夢見続ける「大阪の成長戦略」

8月26日に開かれた大阪市議会都市経済委員会で自民党の前田和彦市議は大阪メトロの決算報告書を基に、こう追及している。

「財政シミュレーションは、コロナ前のインバウンド全盛期の収益が前提になっている。関西空港も国内・国際線合わせて乗客は99%減。夢洲開発で1000億円を投入して275メートルの夢洲タワーを建設するというが、大阪万博前にIRは開業していない。大阪メトロの収益予測は下がることはあっても、上がることはあり得ない。大阪メトロは改革効果額の大部分を占めている。財政シミュレーションは市民に誤解を与えるものになっている」

前田市議の質疑に松井市長は次のように強弁した。

「いまのところ(大阪メトロの)決算はそれ(2019年度)しかないので、シミュレーションに入れた。今年はコロナで100年に1度の厳しい状況だ。特別な事情で悪化したが、ずっと続くとは思っていない。成長する会社でシミュレーションは成立する。長期的には黒字で十分サービスを維持できる」

強気な松井市長とは裏腹に、本体の市財政は大赤字になっていることがわかった。大阪市が2020年9月9日に発表した来年2021年度の税収は新型コロナウイルス感染拡大の影響で、２０２０年度当初予算と比べて約５００億円減の約６９００億円。加えて、新型コロナ対策などで歳出が増えることから、２０２１年度は約６３７億円の収支不足（赤字）に陥るとの見通しを明らかにしたのだ。

そもそも、大阪市を廃止し、４つの特別区にするコストは１３００億円（15年分）かかる。特別区設置のための膨大なコストと経費増、コロナ禍での税収減という厳しい現実が立ちはだかっているのが実情だ。

松井市長、吉村府知事は共著『大阪から日本は変わる』（朝日新書）で《今回の都構想では住民サービスのレベルを一歩も後退させないということを明確に約束》と公言しているが、先の前田市議の質問と松井市長の答弁で明らかなように『約束』なんて果たせる保証はどこにもない、絵空事の話なのだ。

２０２０年9月23日、日本記者クラブで吉村府知事、松井市長は大阪都構想について共同記者会見を行った。同会見で松井市長は、特別区制度が目指すものをこう語っている。

「広域行政の一元化による二重行政の解消で、スピード感をもった成長戦略、そして成長するためのインフラ整備、これが実現することにより、大阪の成長の効果が表れる」

要するに、高速道路やリニア、カジノや万博、スマートシティなどのインフラ整備で「大阪の成長戦略」を実現させるのが目的なのだ。だが、その成長戦略は財源不足で、すでに破綻しているのが実情だ。

都構想の市民向け説明動画は「非公正・非中立」の誘導広報

「賛成に誘導するための市政広報」

大阪市を廃止し4つの特別区に分割する大阪都構想をめぐり、大阪府・大阪市合同の副首都推進局の広報担当職員が行政の公平性・中立性など、どこ吹く風のトンデモ発言をしていたことがわかった。2020年9月29日、「広報が公正・中立ではない」と自民党大阪市会議員団が松井一郎市長に抗議する事態に発展したのだ。

問題の発言は、同年8月18日に行われた大阪市の広報について助言する専門家の特別参与と担当職員の協議会で飛び出した。この日は大阪市が作成した大阪都構想の市民向け説明動画がテーマだった。議事録によると、動画について特別参与の山本良二・近畿大学教授（広告コミュニケーション）がこう発言した。

「私は毎回、この特別区制度については〝変わればすべてよくなる〟ような偏った広報になってはいけないと言っている。例えば、大都市制度改革が必要かというところは、今のままではよくないんだ、変わればバラ色になるんだ、という印象を与えてしまうのではないか。成長と暮らしのサイクルが回り始めると書いてあるが、本当に回り始めるのか。今のままでは回らないのか。回るという根拠はなにか。今のままではサービスに応えられない、市として限界があるというが、そう言い切れるのか。大阪市としても頑張ってサービスをやっていると思うが、それを真っ向から否定することでいいのか。(現在実施している)住民に身近なサービスも(特別区制度で)できるようになりますとなっているが、具体性、根拠がない。イメージでよくなるという印象を与える広報でいいのか、すごく疑問に思う」

山本教授の発言はまっとうなものだ。さらに、同教授は次のように続けた。

「根本にかかわることだが、二重行政は駄目だと、よくないということであれば、他の自治体は駄目なのか。知事がいて、市長がいて、それでうまくいっている自治体も、もちろんあるでしょうし、(大阪市を廃止すれば)そこが極端によくなるんですよ、というようなことで果たしていいのか。例えば、(大阪市を存続させれば)ダブルチェックのよさなんかもあったりするのではないか」

山本良二教授

「住民投票にかかわるような大事なことで、広報本来の公平性を保ってということで言えば、今の内容はかなり偏っている」

「特別区制度の概要だとか、シミュレーションがあるが、収支不足は発生しないとなっている。かなり乱暴で根拠が示されていないし、エビデンスがない。どういう調査をして結論が出てるのかまったく持ち合わせていないまま、何も考えない人があれ（動画）を見ると、『そうなんや』ってそれだけで終わってしまう。ある意味、誘導になったりする怖さはないかなって感じた」

“都構想実現”が大阪市役所のスローガンとなっている⁉

山本教授がいまの推進一辺倒の大阪市の都構想広報の在り方に疑問を投げかけたにもかかわらず、担当者は聞く耳を持とうとしない。というよりも、もはや信仰というか、中立性・公平性を原則とする行政スタンスからまったく外れた、大阪維新の会の下僕であるかのような発言を繰り返したのだ。

「誤解のないようにお伝えしたいのは、大阪市役所として市政運営の基本方針を毎年決めてやってるなかで、特別区制度の実現は市役所の基本方針。当然、政治として公約を掲げて、市、府のクロス選挙（２０１９年４月）があった。そういう政治的な背景や公約もあり、市役所としても、令和２年度の市政運営の基本方針のなかで、特別区制度、まず副首都実現を目指すことを掲げた。特別区制度の実現を目指すということは、もう市役所のスローガン」

吉村洋文大阪府知事と松井市長が勝利したクロス選挙の政治的な背景があるから当然とばかりに、冒頭のようなトンデモ発言が飛び出したのだ。

「我々としては、賛成に誘導するために、あくまで市役所としての市政広報であります」

大阪市の大阪都構想をめぐる広報は、毎月出される区広報紙のPR記事が特別参与の指摘で何度も修正された。大阪市と包括協定を結んでいる子育て情報誌は、大阪維新の会の大阪都構想PR記事を掲載。日本共産党の井上浩市議が市議会で「政党広告は掲載不可」の規則に違反すると追及すると、同情報誌を大慌てで回収する騒ぎに発展したこともある。

同年9月26日の住民説明会開始とともに、大阪市内全戸に約179万部配布された都構想パンフレットも「推進に偏りすぎ」として批判の声が上がっている。

実は、約179万部配布された都構想パンフレットの原案を入手した毎日放送は、9月7日に開かれた会議で広報部門の特別参与を務めた大学教授から「推進に偏りすぎ」と指摘されていたことを9月23日夕方の番組で報じている。住民説明会開始の3日前だ。

翌24日、松井市長は会見で同番組のアナウンサーを名指しして「N君（実名）は兵庫県民やし、大阪のことはあまり知らんちゃうの」と難癖をつける始末。25日の会見でも「毎日放送は公平・公正にやったほうがいい。特にNアナウンサーは反対に偏りすぎ」と発言。特別参与にも「彼らはわかっていない。参与が間違っている」とブチ切れた。

そうしたこれまでの経緯を見る限り、「不公平なのはアンタでしょう、松井市長！」と倍返ししたい。

都構想への維新の陰謀と否決確定

法令以外に維新ルールが存在する⁉ 〝無許可都構想PR広告〟

大阪市を廃止して新たに4つの特別区にする大阪都構想の住民投票が2020年10月12日に告示（11月1日投票）された。市民に2回目の賛否を問うわけだが、今回はどうしても負けられないのか、都構想を推し進める『大阪維新の会』は無許可でPR広告を出していたことが新たに発覚した。

大阪市建設局の再三の撤去要請や、都構想実現のためにはなんでもありの大阪維新の会の無法ぶりにメディアからも批判報道が相次ぎ、1週間後にやっとPR広告は撤去された。

無許可PR広告の舞台になったのは、若者たちで賑わう大阪・ミナミのアメリカ村（通称。略称アメ村）。大型選挙ともなると、橋下徹元大阪市長をはじめ、松井市長、吉村洋文府知事らが必ず若者に対してアピールする街頭演説の場所としても知られている。そのアメ村の街路灯に10月1日から「変えるぜ、大阪」などのキャッチコピーをあしらった広告旗が掲げられたのだ。

広告旗は大阪維新の会が設置したもの。維新の会は「広告代理店の仲介で（アメリカ村の店舗や事業者で作る）『アメリカ村の会』の要請で設置した。費用はまだ払っていない」という。市道の街路灯に広告などを掲示する場合、道路占用許可申請が必要だ。しかし、同広告旗は無届け。申請を届けた場合も公益性があればいいが、政党広告は禁止されている。つまり、申請しようがしまいが、完全にアウトのPR広告なのだ。

大阪市建設局の担当課長は「届けも出ておらず、違法です」と断言し、事の経緯を次のように説明した。

「10月2日の『産経新聞』の報道で知り、すぐに電話で『アメリカ村の会』に撤去を要請しました。しかし、その後もそのままだったので、5日に現地を訪れ『アメリカ村の会』会長と面談し、重ねて撤去を求めました。『撤去はするが、高所作業車の手配に時間がかかるので、それまで待ってほしい』との回答でした」

7日午前、筆者は確認のため現地を取材したところ、なんとまだ広告旗は掲げられたままだった。驚いて大阪維新の会とアメリカ村の会に電話取材した。

維新の会の回答は先述した通りだが、アメリカ村の会は摑《つか》みどころのない投げやり的なものだった。

「責任者がいまいない。（大阪市からの撤去要請については）知らない」

6日、違法広告について大阪維新の会代表代行の吉村府知事は記者団に「我々はルールに基づいてやっている。大阪市建設局のほうから意見が出ているということなので、やり取りしている。ルールが違うならルールに合わせてやっていく」と、まるで法令以外に維新ルールが存在しているかのような尊大な答えをする始末。一方、同代表の松井市長は7日、記者団の質問に「政治的でよくなかった」と広告旗撤去を表明している。

制度内容が知られるにつれ「都構想反対派」が漸増

実は、問題はほかにもある。アメリカ村の会事務局は、アメリカ村のランドマークである商業施設『ビッグステップ』内の大阪屋通商ビッグステップ運営管理事業部内で、アメリカ村の会会長は「大阪屋通商の社員」（アメリカ村の会事務局）という。ここで名前が出てくる大阪屋通商（大阪市中央区）の青山浩章代表取締役は『経済人・大阪維新の会』（更家《さらや》悠介会長）副会長なのだ。

さらに、ビッグステップの所有者は青山氏が代表を務める三栄建設（大阪府八尾市）。三栄建設は、大阪維新の会、日本維新の会が入居するビルの所有者で家主なのだ。

三栄建設は「八尾市でもトップクラスの入札業者」（八尾市関係者）として知られている。大阪維新の会の政治資金収支報告書によると、三栄建設は2016年分・40万円、2017年

党本部の入居する三栄長堀ビル

分・40万円、２０１８年分・40万円と毎年献金するなど、維新の会とは密接な関係にあるとみられるのだ。

維新の会は大阪都構想の住民投票に何がなんでも勝つため、〝フラッグ・ジャック〟作戦を進めている。今回はその一環として若者票を取り込むため、アメ村に設置したとみるのが、支配的だ。松井市長が認めた通り「政治的な思惑」からきたことは確かで、有力後援者との関わり方も問題になってくるのではないか。

先にも述べているが、大阪市立保育所などに無料配布されている子育て情報誌『まみたん10月号』に大阪都構想をＰＲする維新の１ページ全面広告が掲載され、「政党広告不許可」違反が発覚、大阪市が回収する騒ぎがあったばかりだ。
「維新はグレーゾーン狙いの脱法的手法をとるのが常套《じょうとう》手段。今回のアメ村の広告旗のケースや子育て情報誌が典型的なものです。違法とバレて批判を浴びると、『すみません』と謝る。その繰り返しですわ。それこそ、維新ルールで事を起こすのが彼らのやり口ですよ」(大阪府政関係者)
前述したように都構想の住民投票は告示された。情勢はどうなっているのか。
「吉村人気に直結せず、賛成派は高止まり。逆に、制度内容が知られるようになってきたことで、それまで態度不明の有権者が反対派に流れ、両派の差は10ポイントから5ポイントまでに縮まっています。維新も相当危機感を持っており、勝負は残る10日間で決まるでしょう」(社会部記者)

都構想で「218億円コスト増」の『毎日新聞』スクープ

「大阪市財政局の対応は極めて異例だ。『毎日新聞』との関係も異例。記事が投票直前に出てくる。しかも、世論調査が拮抗《きっこう》している段階で。その報告を市長にしていなかった。行政組織としては極めて異例。この結果が住民投票に与えた結果は大きい」

2020年11月1日の大阪市を廃止し4つの特別区に分割するいわゆる「都構想」が住民投

票で否決された後の11月12日、大阪府の吉村洋文知事（現大阪維新の会代表）は記者団の質問にこう答え、重ねて『毎日新聞』と市財政局を非難した。

吉村府知事が問題にしたのは、『毎日新聞』（２０２０年10月26日付夕刊）が〈市分割コスト２１８億円増　大阪市財政局が試算　都構想巡り〉と報じたこと。住民投票で「都構想」が否決された翌11月２日、吉村府知事は「２１８億円問題」の住民投票への影響について記者団から問われ、「影響はあったと思う。期日前で反対者も増えた。おかしいと思ったことは、期間中に発信したこと。でも、結果が出たんでね。『毎日新聞』のせいだと言うつもりは毛頭ない。市長への決済もなく情報を提供し、反対側がなぜか知っていた。権力機構・統治機構の大改革はできなかっただろうなと」

住民投票の翌日に「『毎日新聞』のせいだと言うつもりは毛頭ない」と言いながら、わずか10日後にまたぞろ蒸し返し。

あたかも、『毎日新聞』、市財政局、反対派が結託して「２１８億円のコスト増」を捏造《ねつぞう》したかのようなコメント……。しかも、大阪市職員を監視し統治する改革ができていなかった、と述べるなどまったく筋違いの発言を繰り返したのだ。

はっきりさせておくが、吉村府知事は大阪府の知事であって大阪市の市長ではない。それこそ、人の懐に手を突っ込んで、あれこれ掻《か》き回しているに等しい。大阪市も自分のものと傲慢《ごうまん》極まりない思い込みをしているのだろう。

ここで「218億円コスト増」問題の経過を振り返ってみることにしよう。

まず、『毎日新聞』報道の翌10月27日、吉村府知事は《毎日新聞の報道をきっかけに既に多くのTVメディアでも報道されている。ネットを見ない市民は、大阪市が4特別区になればコストが218億円かかると市が発表したと誤信するだろう。一般市民の受け止めは、そう受け止める。これは、メディアの暴挙だよ。218億円を報道したメディアは訂正報道が必要でしょ》とツイートした。

大阪市財政局長を〝見せしめ訂正会見〟に送り出す

同日、橋下徹元大阪市長も《毎日新聞は、さすがに今回の報道は訂正ものだ。政令市と特別区の基準財政需要額は全く異なる。政令市の方が仕事が多いのだから。都構想は4つの特別区にするものなのに、それを4つの政令市に分けたらという架空の設定をして「費用がかかる」「赤字になる!」と報じるのは完全にアウトだろ》と発信した。

こうした批判を受けてか同日、大阪市財政局は「218億円のコスト増」報道に関し「財政局が誤った考え方に基づき試算した数値がさまざまに報道されたことで、市民の皆様に誤解と混乱を招いた」と謝罪。同日夕方には、東山潔財政局長と手向健二副首都推進局長が共同記者

大阪市役所

会見に臨み、大阪市としての見解を表明したが、東山財政局長は「(『毎日新聞』の記者から)この間取材をうけた。(『毎日新聞』記事は)きちんと書いていただいている」とした。

住民投票を3日後に控えた29日には「大阪市財政局が報道機関に提出した資料にかかるお詫びについて」と題する「修正版」を再び同市のホームページに発表する念の入れよう。

それでも、維新の怒りは収まらず、10月29日の衆院本会議で日本維新の会の馬場伸幸幹事長は、件《くだん》の『毎日新聞』記事を「大誤報だ」と批判。しかし、馬場幹事長の発言は大阪市財政局の試算に基づく記事のどの部分が事実に反するのか、具体的に触れることのない一方的なものだった。

そして29日夕方、今度は東山財政局長が単独で会見。同局長は「(松井)市長から厳重な注意を受けた。世の中に存在しない架空の数字を提供することは捏造である。情報各社にはその旨の訂正記事を掲載してもらいたい」と述べた。

報道機関に訂正記事掲載を要請するなど明らかに松井市長からの圧力で、東山局長がすべて誤っていたことを認めさせる見せしめ会見だ。筆者は翌10月30日、市財政局担当者に取材しており、「『毎日新聞』の記事は間違っていない」との回答を得ている。にもかかわらず、維新の大阪市会議員団は繰り返し財政局職員を控室に呼びつけたり、市議会で長時間にわたって財政局に対し、糾弾まがいの質問を繰り返している。

なぜ、維新がこれほど執拗に財政局を責めるのか、大手紙社会部記者がその背景について解説する。

「要は〝誤った情報に基づく住民投票だった。だからもう一度やり直す必要がある〟との口実作り。それも、〝マスコミ、財政局、反対派が結託してやったこと〟と市民に印象づけ、先の住民投票を無きものにしたいのだろう。あるいは、否決直後に突然出してきた権限と財源の大阪府への移管条例や総合区設置案は、事実上の都構想を正当化するための理由づけにしたい思惑からやっているものだ」

どう見ても無理筋の話。そんなことよりも、新規陽性者数が過去最大を更新した大阪のコロナ対策を最優先にするべきだろう。

奈良女子大・中山教授が語る「都構想否決」の意義と課題

大阪市を廃止し、４つの特別区に分割する「大阪都構想」が11月1日、住民投票で再び否決された（前回２０１５年５月）。この10年間、大阪の政治を支配してきた『大阪維新の会』（新代表・吉村洋文大阪府知事）の看板政策に市民が再びノーを突き付けた意義と課題について、奈良女子大学の中山徹教授に聞いた。

――「大阪都構想の住民投票よりコロナ対策を」の世論に逆らって、大阪維新の会などが強行した住民投票が再び否決されました。それも、反対派の票（69万２９９６）が賛成派の票（67万５８２９）を前回（反対70万５５８５票、賛成69万４８４４票）より約７０００票の差をつけての否決でした。まず、今回、「大阪都構想」が否決された意義について聞かせてください。

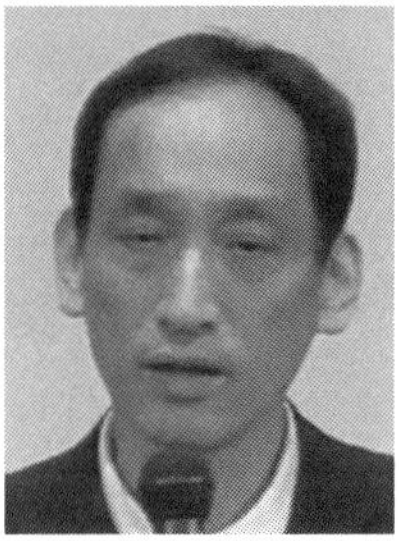
中山徹教授

中山教授　まず、最大の意義は政令指定都市の大阪市を残したところにあります。もし、大阪市が消滅するようなことが起きれば、特別区は財源が不足し、市民サービスは確実に低下します。そういったことが食い止められたということは大阪市民にとって極めて重要な意義をもたらしました。

　また、あちこちで言われてきましたが、もう1つ大きな意義があります。もし、大阪市が消滅し特別区になれば、大阪市に隣接している衛星都市は住民投票抜きで、特別区に編入されてしまう危険性がありました。衛星都市にとっても否決は大きな意義があったのです。

大阪府にとって大阪市はいわゆる母都市です。中心となる母都市と衛星都市で大都市圏というものは成り立っています。この母都市が消滅するということは大阪府全体に深刻な影響をもたらすことになります。そういったことを踏まえて、大阪市を残せたという意義を改めて確認する必要があります。

――中山先生は、政治的意義についても指摘していますね。

中山教授　維新は今回は圧勝する。そして、大阪万博、カジノ誘致、スマートシティといった維新のさまざまな政策を実現していく……そのハードルの1つが大阪都構想だったわけです。ところが、再び否決されたことで彼らの課題が大きくつまずいてしまった。

住民投票で否決したことは、大阪で維新が進めているさまざまな反府民、反市民的政策の展開に大きな歯止めをかけたということになります。このことの政治的意義は極めて大きい。

また、維新の持つ政治的存在意義は単に大阪だけの問題ではありません。与党を補完するということにとどまらず、与党の憲法改正などをむしろ促進させる役割を果たしています。ところが今回、維新が自分の足元でつまずいたわけですから、与党にとって、今後の国政がどうなっていくかわからなくなった。国政に与えた影響も大きなものがあると思います。

もう1つの政治的な意義があります。住民投票の終盤、維新は反対派の言うことはすべて嘘、デマ、揚げ句に、大阪市財政局が明らかにしたデータを松井一郎市長は〝俺の許可なく発表した。処分の対象だ〟と、まさに恫喝《どうかつ》ですね。恫喝で大阪市がなくなることを決めてしまったら、民主主義という点からも、とんでもないことが大阪で起きてしまっていたと思います。

反対派の勝因には〝路地裏作戦〟があった

――今回も住民投票で反対派が多数を占めた要因はなんでしょうか。

中山教授　今回の住民投票で、最初の世論調査では15ポイントほど賛成派が多かった。維新は大阪市内で60万~70万票と常に安定した票を獲得している。そして、今回は前回反対だった公明党が賛成に回り、自分たちが組織固めをすれば圧勝する予定だった。

さらに、それを確実にするため、コロナ禍を利用したと思います。どういうことかというと、コロナを理由に住民説明会ができない、また、反対派が大規模な反対運動ができない……。ところが、自分たちは票を固めさえすれば圧勝できるという読みで住民投票をぶつけてきた。しかし、彼らの思い通りにいかなかった。

その理由は2つあります。1つは理論的・政策的論争で反対派が圧勝したことです。もう1つは反対派の運動はコロナ禍で大規模にできない。それで路地裏作戦を展開した。それも運動しながら人を増やしていった。つまり、路地裏宣伝でビラを受け取った人が、「よくわかった！」と10枚、20枚のビラを持っていき、さらにそれを広げる。そういう運動が繰り広げられたんです。

それが維新の組織戦をはね返し、反対派の勝因につながったのです。

――ところで、維新は住民投票で「敗北宣言」したにもかかわらず、1週間もしないうちに「条例」や「総合区」で、事実上の「大阪都構想」をやると言い出しましたね。

中山教授 まだ細かなことは発表されていませんが、彼らは「大阪市の名前を残すからいいやろ」ということでしょう。権限・財源をきちんと残したいと反対票を投じたのです。患者数が過去最多を更新している大阪市は5月以降、対策本部会議を一度も開いていません。まさに都構想のためにだけ「行政」を動かしてきたわけです。

しかも、住民投票後、大阪のコロナ禍は医療崩壊寸前の危機にみまわれています。いまやるべきことは、市民・府民の命と健康を守るため、権限と財源を使ってあらゆる手段を講じることです。

初出誌●『週刊実話』連載「ブラックマネー」（二〇二〇年二月〜二〇二一年一月）を加筆、再構成、再編集しています

著者略歴
一ノ宮美成
一九四九年、大分県に生まれる。同志社大学文学部を卒業し、新聞記者を経てフリージャーナリストに。著書には『京に蠢く懲りない面々』（かもがわ出版）などの「蠢く」シリーズ、『闇の帝王〈許永中〉』『同和利権の真相①〜④』（以上、宝島社文庫）、『京都と闇社会』『大阪と闇社会』（以上、宝島SUGOI文庫）、『京都に蠢く懲りない面々』（講談社+α文庫）、『大阪・役人天国の果てなき闇』（講談社）、『山口組分裂の真相』（宝島社）、『黒いカネを貪る面々』『黒幕の興亡 関西闇社会の血の掟』（さくら舎）などがある。

グループ・K21
関西のフリージャーナリスト集団。『関西に蠢く懲りない面々』シリーズ（かもがわ出版）でデビュー。

闇《やみ》の権力《けんりょく》 腐蝕《ふしょく》の構造《こうぞう》
二〇二一年四月九日 第一刷発行

著者 一《いち》ノ宮《みや》美成《よしなり》＋グループ・K《ケイ》21
発行者 古屋信吾
発行所 株式会社さくら舎 http://www.sakurasha.com
東京都千代田区富士見一-二-一一 〒一〇二-〇〇七一
電話 営業 〇三-五二一一-六五三三 FAX 〇三-五二一一-六四八一
編集 〇三-五二一一-六四八〇 振替 〇〇一九〇-八-四〇二〇六〇
装丁 村橋雅之
装画 大庭英治
印刷・製本 中央精版印刷株式会社

ISBN978-4-86581-292-3